Inhalt

Vorwort

Wie kaum eine andere Kraft bestimmt die Sexualität das Denken und Handeln. Sie kann das Leben bereichern oder es völlig zerstören. Alles kommt darauf an, wie wir mit dieser schöpferischen Gabe umgehen. Sexualität wird in Zeitschriften, Büchern und Filmen für den Konsum des einzelnen vermarktet. Das erweckt den Eindruck, als sei Sexualität etwas vom Menschsein Abgespaltenes, das beliebig ausgetauscht werden könne. Die Persönlichkeit des Menschen in seiner einzigartigen Integrität von Leib, Seele und Geist scheint dabei jedoch Schaden zu nehmen. Darum wurde dieses Buch geschrieben. Es greift viele unterschiedliche Themen auf, die Menschen in bezug auf ihre Sexualität Mühe machen. Die Autoren geben dem Leser, der ein neues Verständnis seiner Sexualität sucht, sachgerechte Wegweisung.

Sexualität als Teil der Persönlichkeit, die ganzheitlich lebt und das Leben meistern will – das ist das Thema dieses Buches. Kurze, an der Praxis orientierte Beiträge sollen Perspektiven geben, wie diese Ganzheit der Persönlichkeit erworben, gefördert und eingeübt werden kann.

Das Gespräch und der Austausch mit erfahrenen Lebensberatern und nicht eine umfassende Sexualethik war das Ziel einer fruchtbaren Zusammenarbeit der beiden Herausgeber, die auf diesem Gebiet über reiche praktische Erfahrungen verfügen.

Der Leser, der persönliche Fragen hat, kann sich direkt an die Herausgeber wenden, deshalb stehen deren Adressen im Anhang des Buches.

Die Herausgeber

Hans-Joachim Heil   Gerhard Naujokat

Entgleiste Sexualität –
Hintergründe und Hilfen

Abschied von gestern – Sexualität heute

Immer wieder hört man heute das Wort von der »sexuellen Revolution«. Typisch dafür war eine Titelgeschichte des Magazins *Time* im Jahre 1964. Dort wurde behauptet, wir befänden uns gegenwärtig in einer »zweiten sexuellen Revolution« – einer Revolution, vergleichbar mit den Anfängen des Jazz unmittelbar nach dem 1. Weltkrieg, als sich die sogenannte »verlorene« Generation gegen den Viktorianismus ihrer Eltern auflehnte.

Demgegenüber werden andere Stimmen laut, die versichern, wir stünden keineswegs in einer sexuellen Revolution im Sinne einer radikalen, abrupten Veränderung, vielmehr vollziehe sich heute auf sexuellem Gebiet eine *Evolution*, eine allmähliche Veränderung bestimmter Aspekte sexuellen Verhaltens. Wieder andere meinen, wenn man überhaupt von »Revolution« sprechen könne, dann allenfalls in bezug auf die öffentliche *Diskussion* zum Thema Sexualität. Das Geschlechtsleben selbst hingegen habe sich kaum verändert. Als Beweis führt man die Tatsache an, daß in unseren Tagen vorehelicher Geschlechtsverkehr nicht häufiger praktiziert werde als in den zwanziger Jahren dieses Jahrhunderts. Diese dritte Ansicht scheint nicht so ganz unrecht zu haben. Man schreibt heute über Sexualität, erforscht sie, man spricht von ihr und besingt sie, so daß sie alle Lebensbereiche zu durchdringen scheint.

Charakteristisch für die junge Generation von heute ist, daß sie mit einer Offenheit über sexuelle Themen spricht, die ihre Väter und Mütter schockiert. Die jungen Menschen sehen sich die traditionellen moralischen Normen an und fragen: Was bedeuten diese Normen? Kann man sie nicht verbessern? Gibt es nicht eine bessere Möglichkeit? Von Scheinheiligkeit und Heimlichtuerei kann bei der Jugend unserer Tage keine Rede mehr sein.

Worin liegt nun diese Entwicklung begründet? Woher kommt es, daß die jungen Leute ihre eigenen ethischen Normen haben wollen? Die Antwort ist vielschichtig und läßt sich nicht mit einem Satz sagen. Eine Fülle von Faktoren greift ineinander. Alle zusammen haben sie eine Atmosphäre geschaffen, in der sich die Jugend mit überkommenen Moralvorstellungen nicht mehr abspeisen lassen will. Sehen wir uns einige dieser Faktoren an, die unsere Jugend geprägt haben.

Bildung. In einer Welt, in der man nur überleben kann, wenn man ein fundamentales Wissen auf ganz bestimmten Gebieten hat, ist Bildung in den Vordergrund gerückt. Man hat in den vergangenen Jahrzehnten gesteigerten Wert darauf gelegt, junge Menschen zu eigenständigem Denken anzuregen. Vor allem Kritik wurde großgeschrieben. Alles und jedes, so lehrte man, müsse in Frage gestellt werden. Es liegt in der Natur der Sache, daß es zuerst die Religion und ihre sittlichen Normen waren, die man einer eingehenden Kritik unterzog. Die Erwachsenen haben eine völlig andere Form von Bildung erfahren. Die Methode der jungen Leute, weiterzudenken und eigene, neue Schlüsse zu ziehen, ist für die ältere Generation verwirrend. Wenn es nach den Älteren ginge, würde man den Kindern traditionelle Lehren *mitteilen*, und die Jungen hätten das Mitgeteilte zu *akzeptieren*. Aber diese Rechnung geht in unserer Zeit nicht mehr auf. Die Fragen der jungen Generation sind nicht zu überhören. Und vor allem Christen dürfen diesen Fragen nicht ausweichen.

Humanismus. Hinter uns liegen Kriege voller Grausamkeiten, Haß und Wahnsinn. Die junge Generation weiß dies, und sie will die Fehler ihrer Eltern vermeiden. Niemals vorher war das Interesse an Menschenrechten so groß wie heute. Die Jugend schreit nach Liebe und Verständnis, nach Anteilnahme am Leid des Nächsten. An diesem Humanismus, so fordern sie, müsse sich alles orientieren, auch und gerade die moralischen Wertvorstellungen.

Existentielle Fragen. Heute beschäftigt man sich intensiv mit existentiellen Fragen. Was macht den Menschen so einzigartig? Was ist der Grund und der Sinn seines Lebens? Viel wurde gesagt und geschrieben über den Wert des Individuums als ein frei handelndes Wesen – nicht nur als Teil einer Masse. Der Mensch soll frei sein, er soll seine eigenen Entscheidungen treffen, über sein Schicksal selbst entscheiden, selbst wählen, was er sein und tun möchte. Der einzelne soll selbst entscheiden können, welche sittlichen Normen er für richtig hält.

Gleichberechtigung. Eng verbunden mit dem Humanismus und den existentiellen Fragen ist die gegenwärtige Betonung der Gleichberechtigung. Jeder Mensch soll das Recht auf ein sinnerfülltes Leben haben, jedem sollen die gleichen Chancen zuteil werden. Unterschiede in der Rasse, der Religion und im Geschlecht müssen endgültig nebensächlich werden. Vielmehr soll jeder Mensch nur als *Mensch,* als Individuum akzeptiert werden –

als mein Nächster. Diese Gleichberechtigung wird nicht nur in der Rassenfrage gefordert, sondern ebenso nachdrücklich auch im Bereich der Geschlechter. Viele meinen, Männer und Frauen hätten nie wirklich gelernt, sich als Menschen zu erfahren und auf dieser Basis die Beziehungen zueinander zu entwickeln. Vielmehr habe zwischen den beiden Geschlechtern stets eine diskriminierende Schranke gestanden. Hier liegt der Hauptgrund für das In-Frage-Stellen der überlieferten,»doppelten« Moral, die über Jahrhunderte hinweg stillschweigend hingenommen wurde.

Antiinstitutionalismus. Für die jungen Menschen von heute ist jede Institution, jedes organisierte Miteinander verdächtig, weil Institutionen allzu oft den einzelnen Menschen vergessen und zum Selbstzweck werden. Macht, Prestige, Besitz treten in den Vordergrund, der Wert der Person hingegen fällt dabei unter den Tisch. Und nicht wenige sehen in der Kirche ein typisches Beispiel für solch eine erstarrte Institution – eine kalte, unpersönliche Organisation, ein gut funktionierender Apparat, in dem für das Wirken des Heiligen Geistes kaum Raum bleibt. Sie empfinden, daß die Kirche, mit all ihren inneren Streitigkeiten und Machtkämpfen oft ihren eigenen Lehren widerspricht, daß sie allzu oft Zielen nachjagt, die im Gegensatz zu den Zielen Jesu Christi stehen. Viele junge Menschen behaupten, die Kirche wolle sie nur benutzen, sie in ihre Reihen eingliedern, um die Statistik ein wenig aufzubessern. Antworten auf die brennenden Fragen ihres Lebens hingegen könne sie nicht geben. Jegliche Art von Traditionalismus weisen die jungen Leute weit von sich. Man wirft der Kirche vor, mit ihrer tiefen Verwurzelung in der Tradition verhindere sie kreatives Denken, sie setze alles daran, den »Status quo« zu erhalten. Um Mißverständnissen vorzubeugen, muß jedoch gesagt werden, daß die junge Generation sehr wohl an Religion interessiert ist. Die jungen Menschen sind durchaus empfänglich für sittliche Normen christlicher Prägung. Doch sie sind es nur, wenn man sie wie Menschen behandelt, nicht wie Kirchgänger, die sich rein passiv zu verhalten haben.

Rationalismus. Von vielen wird die menschliche Vernunft als die höchste Autorität angesehen. Wo man diese Auffassung vertritt, bleibt für die Annahme einer göttlichen Offenbarung natürlich kein Raum mehr. Die moralischen Normen der Bibel werden nicht als unumstößlich gewertet.

Pragmatismus. Wie komme ich auf die beste, praktischste, befriedigendste Art und Weise durchs Leben? An dieser Frage orientieren sich viele junge Leute. Dabei sind sie offen für Veränderungen, soweit sie ihnen im Alltag helfen. Prägendes Element für die Jugend ist der Drang nach Veränderung, die Abkehr von veralteten Ansichten. Sie wollen sich nicht an überkommene Ideen binden, wenn sie den Fortschritt hindern. Die Älteren hingegen stehen jedem Gedanken an Veränderung mit Skepsis gegenüber, weil das ihr Gefühl der Sicherheit untergräbt. Junge Leute aber genießen Veränderung geradezu. Sie fallen allzu oft auf die Behauptung herein, das Neue sei stets das Bessere – eine Behauptung, die nur bedingt ihre Richtigkeit hat. Bei alledem ist es nicht verwunderlich, daß auch die moralischen Standards in Frage gestellt werden. Brauchen wir, so fragt man sich, im Zeitalter der Kernspaltung und der Raumfahrt nicht auch völlig neue moralische Normen?

Es gibt Christen, die sich damit brüsten, »altmodisch« zu sein. Damit verbauen sie sich einmal jeglichen Zugang zu den Sorgen und Problemen der jungen Generation; zum anderen aber erwecken sie den Eindruck, Gott und sein heiliges Wort seien »von gestern«. Wenn Jesus Christus gestern, heute und in Ewigkeit derselbe ist (Hebräer 13, 8), so heißt das eben nicht, daß seine Lehre »altmodisch«, sondern zu jeder Zeit und an jedem Ort hochaktuell ist. Es ist eben ein Fehler, von der »altmodischen« Tugend der Keuschheit zu reden oder den jungen Menschen achselzuckend zu sagen:»Ich mag ja altmodisch sein, aber ich halte es für besser, damit bis zur Ehe zu warten.« Es gibt wohl keinen geeigneteren Weg, die Jugend dazu zu bringen, die biblischen Lehren einfach beiseite zu schieben, als wenn man sie als altmodisch bezeichnet und damit den Eindruck erweckt, sie seien überholt.

Ehrlichkeit. Die Jugend redet viel von Offenheit. Sie fordert uns auf, unsere Masken abzulegen und im Verhalten anderen gegenüber absolut ehrlich zu sein. Sie verabscheut den Heuchler, den Scheinheiligen, den, der nur blufft. Gerade in bezug auf die Sexualität hört man immer wieder den Vorwurf, die ältere Generation sei unaufrichtig sich und anderen gegenüber gewesen. Die Jugend ist fest entschlossen, diese Fehler nicht zu begehen. Sie hat keine Geduld mit moralisch verbrämter Heuchelei. Die jungen Leute wollen wissen, warum man sich mit dem Geschlechtsleben durch die Jahrhunderte hindurch so unendlich schwergetan hat.

Relativismus. Niemals zuvor in der Weltgeschichte war man so umfassend informiert wie heute. Unsere Jugend weiß um die verschiedenen sittlichen Normen und Verhaltensweisen zu den jeweiligen Zeiten und an unterschiedlichen Orten. Viele fragen, ob es denn wirklich göttliche Absolutheiten gibt, die von jedermann eingehalten werden müssen. Ist es nicht vielmehr so, daß moralische Normen letztlich bloß Ausfluß der jeweiligen Kultur sind, in der man lebt?

Betonung der Lust. Ungezählte Menschen sehen heute im Vergnügen den Hauptsinn des Lebens. Ausschlaggebend ist das persönliche Glück. Diese Lebensphilosophie wird natürlich in höchst unterschiedlicher Weise praktiziert. Wo sie jedoch vorherrscht, geraten Normen im Bereich der Sexualität ins Wanken. Wenn Ziel des Lebens die Lust ist, so muß das allem voran für die Sexualität gelten. Irgendwelche Beschränkungen hemmen die Lust, also müssen sie fallen. Warum man sich die Lust sexueller Befriedigung bis zur Ehe versagen soll, ist auf dem Hintergrund dieser Lebensphilosophie allerdings nicht einzusehen.

Dieses sind nur einige Charakteristika der modernen Gesellschaft, die ein Klima schufen, in dem junge Leute viele Dinge in Frage stellen, von denen man früher dachte, sie ständen außer Frage. Kritische Anfragen zur Sexualität bilden nur einen Teil dieser Liste, wenn auch einen äußerst wichtigen. Was man so gern als »sexuelle Revolution« bezeichnet, ist also keineswegs eine Orgie der Genußsucht, inszeniert von einer jungen Generation, die sich im Sumpf der Ausschweifung wälzt. Was sich heute abspielt, rührt vielmehr daher, daß die jungen Menschen die Sexualität mit ganz anderen Augen sehen als frühere Generationen. Sie fragen nach dem Sinn der Sexualität, und sie fragen nach dem Verhältnis zwischen Sex und Liebe. Junge Menschen reden von der Sexualität nicht etwa um der Sexualität willen. Zumeist verwenden sie diesen Begriff gar nicht. Vielmehr sprechen sie von *Liebe* – und sie meinen auch tatsächlich Liebe. Sie suchen nach echter, liebevoller Gemeinschaft, nach der sie sich so sehr sehnen.

Das Christentum – das sich auf Liebe gründet, weil Gott Liebe ist – sollte zu den ersten gehören, die den jungen Menschen Antwort auf ihre Fragen gibt, anstatt sie einfach zu verdammen.

Kirche und Sexualität

Vor allem im Bereich der Sexualität sah sich das Christentum seit jeher heftigen Angriffen ausgesetzt. Seine Kritiker werfen ihm vor, den Geschlechtstrieb verdrängen zu wollen, Sexualität als etwas Schlimmes und Böses hinzustellen, und das, obwohl die menschliche Rasse ohne Sexualität dem Untergang geweiht wäre. An diesem Mißverständnis tragen die Christen ebensoviel Schuld wie ihre Gegner. Wie ich zu dieser Behauptung komme, soll im folgenden näher untersucht werden.

Es wäre wesentlich bequemer, die Geschichte der Kirche einfach zu ignorieren und so zu tun, als wären bestimmte Dinge nicht geschehen. Lassen Sie mich zur Verdeutlichung eine Parallele ziehen. Einige schwarze Lehrer wurden kürzlich kritisiert, weil sie ihren schwarzen Schülern die Geschichte der Schwarzen in Amerika vermittelt hatten. Natürlich kamen da auch alle möglichen Widerwärtigkeiten der Sklaverei zur Sprache. Einige Weiße meinten nun, es lohne sich nicht, die ganze Geschichte wieder aufzurühren. Einer der schwarzen Lehrer erwiderte, er habe nur die Wahrheit gelehrt, und wenn die Weißen das nicht wollten, so müßten sie ihre Geschichte ändern. Genau das ist das Problem der Kirchengeschichte. Was geschehen ist, ist geschehen. Man kann die vergangenen Jahrhunderte nicht einfach auslöschen. Aber man kann aus der Geschichte lernen. Und diese Möglichkeit müssen wir vor allem dann nutzen, wenn es um die Sexualität geht, denn hier haben unsere Väter in der Tat einige schwerwiegende Fehler begangen.

Jeder, der das Alte Testament liest, wird die Feststellung machen, daß das jüdische Volk in Sachen Sexualität nicht gerade zimperlich war. (Wenn heute jemand fragt, wie das Hohelied Salomos in die Bibel kommen konnte, so zeigt sich daran, daß der Betreffende mehr über die kirchlichen Traditionen unterrichtet ist als über die Bibel selbst.) Ehe und Familie standen bei den Juden in höchstem Ansehen. Einige der ersten Kirchenväter jedoch richteten sich nicht nach den Schriften des Alten Testaments.

Während der Apostel Paulus gelehrt hatte, der Körper des Christen sei der *Tempel des Heiligen Geistes*, der geehrt und zum Lobpreis Gottes benutzt werden solle (1. Korinther 6, 19 und 20), haßten viele der ersten Christen ihren Körper und behandelten ihn mit Geringschätzung. Während des 4. Jahrhunderts trachteten Hunderte von Asketen danach, der Versuchung zu entfliehen und ihren Körper zu strafen, indem sie als Einsiedler lebten. Es erscheint fast unvorstellbar, wie weit sie in ihren Anstrengungen gingen, sich die Befriedigung »fleischlicher Lüste« zu versagen. Der heilige Askepsimas trug beispielsweise so viele Ketten, daß er auf Händen und Füßen herumkriechen mußte; Besarion, ein Mönch, wollte seinem Körper noch nicht einmal das Verlangen nach Schlaf zugestehen; Makarius der Jüngere lebte sechs Monate lang in einem Sumpf, bis er durch die vielen Moskitostiche wie ein Leprakranker aussah; der heilige Simeon Stylites verbrachte 30 Jahre auf einer 20 Meter hohen Säule; der heilige Maron hauste elf Jahre in einem hohlen Baumstamm; andere lebten in Höhlen oder ausgetrockneten Brunnen – sogar in Gräbern. Alles, was mit einer solchen Lebensweise zusammenhing – Schmutz (die meisten entschieden, sich nicht zu waschen), Gestank, Würmer und dergleichen –, wurde als geistlich heilsam, als Sieg des Geistes über den Körper angesehen.

Einige dieser Asketen schienen im Kampf gegen ihren Sexualtrieb erfolgreich gewesen zu sein. »Seit ich Mönch geworden bin«, berichtete einer von ihnen einem von sexuellen Phantasien geplagten jungen Mann, »habe ich nie mehr genug gegessen, getrunken und geschlafen. Das Verlangen nach diesen Dingen hat mich so sehr gepeinigt, daß ich die andere Lust nicht mehr spürte.« Bei anderen hingegen brachten alle Bemühungen um Enthaltsamkeit das gegenteilige Ergebnis hervor. Weil sie leugneten, was Gott ihnen gegeben hatte, machte sich bei ihnen der Sexualtrieb stärker bemerkbar als vorher. Der heilige Hieronymus zeigte sich darüber ausgesprochen verwirrt, wie man dem Auszug aus einem seiner Briefe entnehmen kann:

»Ich, der ich mich aus Furcht vor der Hölle in dieses Gefängnis (eine trostlose Einöde) begeben hatte, wo ich keine anderen Begleiter hatte als Skorpione und wilde Tiere, meinte, dort inmitten einer Schar tanzender Mädchen zu sein. Mein Gesicht war blaß und mein Körper vom Fasten geschwächt; doch mein Geist brannte vom heftigen Verlangen der Begierde, und die Flammen der Lust loderten auf von meinem Fleisch, das wie ein Leichnam war. So lag ich hilflos zu Christi Füßen, benetzte sie mit meinen Tränen, trocknete sie mit meinem Haar und kämpfte sieben Tage fastend darum, mein widerspenstiges Fleisch zu bezwingen.«

Viele Menschen geben dem Apostel Paulus die Schuld für solcherlei Askese. Zu diesem Ergebnis kann man jedoch nur gelangen, wenn man Stellen aus den Paulusbriefen aus dem Zusammenhang herausreißt. In Wahrheit warnt Paulus nämlich vor einer solchen Enthaltsamkeit. Er ging hart ins Gericht mit denen, die die Ehe und bestimmte Speisen verbieten wollten, obwohl es sich um gute, von Gott kommende Gaben handelte (z.B. 1. Timotheus 4,1−5 und Kolosser 2,20−23). Der menschliche Körper wird im Neuen Testament sehr geachtet – die Fleischwerdung Christi ist wohl der offenkundigste Beweis dafür. Der Körper ist »für den Herrn da« (1. Korinther 6,13−15) und wird durch ihn auferweckt (1. Korinther 15,35−57). Er soll Gott als lebendiges Opfer gegeben werden (Römer 12,1 und 2), er soll ganz in den Dienst Jesu Christi gestellt werden (Römer 6,11−14). Diese biblischen Aussagen sind von der Haltung der Asketen weit entfernt. Es ist eben ein Trugschluß zu meinen, Gott sei hocherfreut, wenn wir unseren Körper vernachlässigen und züchtigen. Die biblische Auffassung vom Wert des Körpers hat nichts zu tun mit fehlgeleiteten Anschauungen von Männern wie Origenes, die meinten, daß Selbstverstümmelung (Kastration) der sicherste Weg sei, mit seinen sexuellen Begierden fertig zu werden.

Während Paulus von der wunderbaren Art und Weise sprach, in der Gott den menschlichen Körper erschaffen hat, mit einer besonderen Aufgabe für jedes Glied (1. Korinther 12,18−24), bespöttelten viele der ersten Kirchenväter die natürliche Funktion des Körpers. Ein extremes Beispiel war der Brief des heiligen Johannes Chrysostomos an einen jungen Mann, der vorhatte, ein schönes Mädchen zu heiraten. Chrysostomos teilte dem jungen Mann mit leidenschaftlichen Worten (die uns heute lächerlich vorkommen) mit, er möge noch bedenken, was hinter dem lieblichen Gesicht und der anmutigen Gestalt stecke:

»Die Basis dieser körperlichen Schönheit besteht aus nichts anderem als aus Schleim, Blut, Körperflüssigkeit und Galle und dem Saft von zerkautem Essen... Wenn du bedenkst, was sich in diesen schönen Augen, in der geraden Nase, dem Mund und den Wangen angesammelt hat, würdest du mir darin zustimmen, daß der wohlgestaltete Körper nichts anderes ist als ein getünchtes Grab... Mehr noch, wenn du einen Lumpen siehst, auf dem eins dieser Dinge wie Schleim oder Speichel liegt, kannst du es nicht ertragen, es auch nur auf deinen Fingerspitzen zu berühren, noch kannst du es aushalten, es ansehen zu müssen; sag, erregen dich denn die Lagerhäuser, in denen diese Dinge gespeichert werden?«

Ob Sie es glauben oder nicht, dieser Brief überzeugte den jungen Mann davon, daß ein Leben in Ehelosigkeit wohl doch das Beste sei.

Wie sehr unterscheidet sich das doch von der Haltung und dem Lob des Psalmisten:»Deine Hand hat mich gemacht und bereitet« (Psalm 119,73)! David schüttete dem Herrn sein Herz aus, indem er sagte:»Du hast meine Nieren bereitet und hast mich gebildet im Mutterleibe. Ich danke dir dafür, daß ich wunderbar gemacht bin; wunderbar sind deine Werke; das erkennt meine Seele« (Psalm 139,13 und 14).

Aber solche Stellen wurden von vielen Kirchenvätern nicht beachtet. Augustinus hielt den Vorgang der Empfängnis und der Geburt für unanständig und schmutzig. Seine Abneigung gegen den Körper zeigt sich in der Aussage, in der er mit Abscheu von der Vermischung der Geschlechts- und Ausscheidungsorgane spricht. Er fragt sich, warum Gott sich für die Fortpflanzung des Menschen nicht einen anderen Weg ausdenken konnte – etwas weniger »Befremdliches« als den Geschlechtsverkehr.

Christliche Führer in den ersten Jahrhunderten nach Christus übersahen die Tatsache, daß die Schöpfungsgeschichte klar aussagt, daß Gott uns als Mann und Frau zu seinem Bilde schuf und daß er seine Schöpfung, als er sie sah, für »sehr gut« erklärte. Manche Kirchenväter lehrten allen Ernstes, daß die Geschlechtsorgane vom Teufel ersonnen worden seien – was schon ihr »abscheuliches Aussehen« beweise. Andere (unter ihnen die Heiligen Hieronymus, Johannes Chrysostomos und Gregor von Nyssa) lehrten, daß es Gottes ursprünglicher Plan gewesen sei, die Menschheit solle sich auf »engelhafte Weise« fortpflanzen. Gott aber habe den Sündenfall vorausgesehen und deshalb in weiser Voraussicht Männer und Frauen mit Geschlechtsorganen »der Tiere, die sie werden würden«, ausgestattet.

Trotz der klaren Aussagen im 1. und 2. Kapitel der Schöpfungsgeschichte, wonach Gott wollte, daß Mann und Frau »ein Fleisch« würden, versuchte Augustinus, sich einen anderen Weg der Fortpflanzung vorzustellen – einen Weg allerdings, den sich die Menschheit durch den Sündenfall verbaut habe. In seinem Werk *Vom Gottesstaat* beschreibt Augustinus ausführlich, wie er sich den »Zeugungsakt« vorstellt, wenn Adam und Eva nicht ungehorsam gewesen wären.

In unmittelbarem Zusammenhang mit den negativen Lehren der Kirchenväter über Körper und Sexualität standen ihre geringschätzigen Ansichten über das weibliche Geschlecht und die Institution der Ehe.

Einige Historiker meinen, der Antifeminismus der ersten Kirchenväter könnte eine Reaktion gegen die wachsende Emanzipation römischer Frauen aus der Oberschicht gewesen sein. Andere sind der Ansicht, daß er das Ergebnis einer starken Neigung zum Frauenhaß war, der seinen Weg ins Judentum gefunden hatte und ins Christentum mit herübergenommen wurde. Auf jeden Fall wurden Frauen geistig wie körperlich als minderwertig angesehen. Männer, die ein wahrhaft gottgefälliges Leben führen sollten, durften also so wenig Kontakt wie möglich zum weiblichen Geschlecht haben.

Dabei scheint den Kirchenvätern nie aufgefallen zu sein, daß ihre Lehren in direktem Gegensatz zur Lehre Jesu standen. Auch Paulus spricht davon, daß es in Christus weder Mann noch Frau gibt, denn alle sind *eins* in ihm (Galater 3,28). In frühchristlicher Zeit aber nannte man die Frau »Skorpionstachel«, »gefährliche Sorte Mensch« oder gar einen »vorgeschobenen Posten der Hölle«. Die Frau hatte sich gefälligst zu schämen, daß sie überhaupt da war. Schließlich trug sie die Schuld daran, daß die Sünde in die Welt gekommen war. Tertullian schreibt *Über die Kleidung bei Frauen* und stellt in diesem Werk unter anderem folgende ungeheuerliche Behauptung auf:

»Du bist das Tor zum Teufel. Du entweihtest den verbotenen Baum. Du bist der erste Übertreter des göttlichen Gesetzes. Du bist die, die ihn überredete, als der Teufel nicht mutig genug war, ihn anzugreifen. Du zerstörtest so einfach das Ebenbild Gottes, den Mann. Wegen Deiner Übertretung, die den Tod bedeutete, mußte sogar der Sohn Gottes sterben.«

Aber da es die Frauen nun einmal gab, mußte man sich etwas einfallen lassen, warum Gott sie erschaffen hatte. Ein Blick in die Bibel hätte diese Frage schnell beantwortet. Gott gab dem Mann die Frau, denn »es ist nicht gut, daß der Mensch allein sei« (1. Mose 2,18 ff.). Bei Augustinus hört sich das jedoch ganz anders an:

»Wenn man mich fragt, zu welchem Zweck es sich für den Mann gebührte, diese Gehilfin zu bekommen, scheint mir kein anderer wahrscheinlicher zu sein, als für die Zeugung von Kindern... Ich sehe nicht, wie man sagen könnte, die Frau sei dem Mann als Gehilfin gegeben, wenn nicht die Aufgabe des Kinderkriegens da wäre.«

Spätere Theologen folgten Augustinus, indem sie die Rolle der Frau ausschließlich im Gebären von Kindern erblickten. Alle anderen Gebiete des Lebens waren Männersache.

Wo man die Sexualität derart niedrig einstufte und Frauen verachtete, war es unvermeidlich, daß auch die Ehe kein gutes Ansehen genoß. Die Lehren, die Paulus den ersten Christen in Korinth gab und die sich auf eine zeitlich und örtlich begrenzte Situation bezogen (er verwies darauf, daß Ehelosigkeit angesichts herannahender Verfolgungen und der bald erwarteten Wiederkunft Christi besser wäre, 1. Korinther 7), wertete man als ein ewiges und allgemeingültiges Gesetz Gottes. Andere Lehren des Paulus (z.B. wenn er über das Verhältnis des Mannes zu seiner Frau spricht und es mit der liebevollen Beziehung Christi zu seiner »Braut«, der Gemeinde, vergleicht, Epheser 5,21−33) wurden einfach übergangen. Statt dessen zitierte man immer wieder die Bemerkung von Paulus, es sei besser zu heiraten, als sich »in Begierde zu verzehren« (1. Korinther 7,9). In diesem Wort sah man alles, was Paulus zum Thema Ehe zu sagen hatte. Doch dabei übersah man, daß dieses Paulus-Wort als Antwort auf einige ganz spezielle Fragen gedacht war, die eine Gruppe von Christen in Korinth an ihn gerichtet hatte. Diese Christen in Korinth waren nämlich außerordentlich großen sexuellen Versuchungen ausgesetzt. Und deshalb hatten sie Paulus um Rat angeschrieben. Trotzdem wurde diese Stelle im ersten Korintherbrief ein Lieblingszitat der ersten christlichen Führer, anhand dessen sie zu belegen versuchten, daß die Ehe nur ein »Hilfsmittel« war – sozusagen eine Konzession an diejenigen, die noch nicht so weit waren, ihren fleischlichen Gelüsten zu widerstehen. Von dem Christen aber, der geistlich wirklich fest stand, erwartete man, daß er die Ehelosigkeit wählte.

Die Unberührtheit wurde mit fanatischem Eifer gepriesen. Die Jungfrauengeburt Jesu Christi wurde nicht so sehr als besonderes Zeichen Gottes angesehen, sondern vielmehr als ein Beweis der »Beflecktheit« normaler Geburtsvorgänge. Die 144.000 erlösten

Männer,»die sich nicht mit Frauen befleckt haben« (Offenbarung 14,4) wurden als positiver Beweis für Gottes große Freude an der Ehelosigkeit gewertet. Einige der frühen christlichen Führer lehrten, Jesus habe sich seine Jünger ausgewählt, weil sie unberührt gewesen seien – eine Auffassung, die im Lichte von Matthäus 8,14 und 1. Korinther 9,5 als ziemlich weit hergeholt erscheint. Man betrachtete den Tod eines Ehepartners als Aufruf Gottes zu sexueller Enthaltsamkeit – eine »zweite Chance« für ein Leben in Ehelosigkeit.

Bei alledem verstrickte man sich in bezug auf die Frauen in einen seltsamen Widerspruch. Auf der einen Seite wurde nämlich den Frauen beigebracht, ein jungfräuliches Leben sei Gott wohlgefällig, auf der anderen Seite sagte man ihnen, ihr Heil liege im Kinderkriegen. Diese Auffassung entstand durch die Überbetonung eines schwer verständlichen Bibelverses (1. Timotheus 2,15), über dessen Bedeutung sich die Gelehrten noch heute streiten.

Der Apostel Paulus hatte christliche Eheleute darin unterwiesen, Geschlechtsverkehr sei ein normaler Teil des Ehelebens und sollte nicht vernachlässigt werden, außer für eine gewisse Zeit, damit Mann und Frau Ruhe zum Gebet haben. Anschließend aber sollten die sexuellen Beziehungen wieder aufgenommen werden (1. Korinther 7,3–5). Gerade diese Stelle betont die Gleichwertigkeit von Mann und Frau. Keiner von beiden solle sich dem anderen entziehen, vielmehr solle jeder seinen Körper so betrachten, als gehöre er dem Ehepartner.

Es deutete alles darauf hin, daß eine Reihe von Kirchenvätern diese Lehren völlig übersahen. Hieronymus wollte verheirateten Paaren einige Tage nach dem »tierischen Akt« des Geschlechtsverkehrs nicht mehr gestatten, am Abendmahl teilzunehmen. »Ein weiser Mann sollte seine Frau mit dem Verstand lieben und nicht aus Leidenschaft«, schrieb er und fügte hinzu:»Der, der seine eigene Frau zu heftig liebt, ist ein Ehebrecher.« Ambrosius äußerte etwas Ähnliches und wurde lobend von Augustinus und viel später von Johannes Calvin erwähnt.

Hieronymus sagte den Ehemännern:»Wenn wir uns des Geschlechtsverkehrs enthalten, ehren wir unsere Frauen; wenn wir uns nicht enthalten, nun – was ist das Gegenteil von ›Ehre‹ anders als ›Beleidigung‹?« Unter einigen Christen tauchte sogar mit der Zeit eine eigenartige neue Form der Ehe auf – die »geistige« oder »enthaltsame« Ehe, an deren Beginn Mann und Frau feierlich Keuschheitsverträge schlossen. Darin versprachen sie, »ihre Körper für Christus zu bewahren«, indem sie keine sexuellen Beziehungen miteinander haben wollten. Sie lebten in einer Art Bruder-Schwester-Beziehung miteinander.

Bis zum Mittelalter hatte die Lehre der Kirche zur Sexualität lächerliche und unbiblische Extreme erreicht. Peter Lombard und Gratian versicherten den Christen, der Heilige Geist verlasse den Raum, wenn ein Ehepaar Geschlechtsverkehr miteinander habe – auch wenn die Absicht sei, ein Kind zu zeugen. Andere Kirchenlehrer verkündeten, Gott fordere sexuelle Enthaltsamkeit an allen kirchlichen Feiertagen. Außerdem wurden die Ehepaare ermahnt, sich an folgenden Tagen jeglichen Geschlechtsverkehrs zu enthalten: am Donnerstag (im Gedenken an Christi Gefangennahme), am Freitag (im Gedenken an Christi Kreuzigung), am Sonnabend (zu Ehren der Jungfrau Maria), am Sonntag (im Gedenken an Christi Auferstehung) und am Montag (aus Hochachtung vor den verstorbenen Seelen). Blieben also nur Dienstag und Mittwoch.

Die Kirche versuchte, alle Lebensbereiche des Menschen zu bestimmen. Dabei ließ sie dem einzelnen Individuum praktisch keinen Spielraum, Gottes Willen selbst zu erkennen. Auch für eine persönliche Entscheidung der Ehepaare in bezug auf ihre intimsten Beziehungen blieb kein Raum.

Vieles von dem änderte sich mit der Reformation. Die Theologen versuchten nun, die Schrift völlig neu zu erforschen, insbesondere auch im Hinblick auf die Sexualität. Die Folge war eine wesentlich gesündere Einstellung zum Geschlechtsleben. Zwar warnte man noch immer davor, die Sexualität als Gabe Gottes zu mißbrauchen, doch nun pries man nicht mehr länger die Ehelosigkeit als Idealzustand, die Ehe wurde nicht mehr abgewertet. Auch den Geschlechtsverkehr betrachtete man nun nicht mehr als schändlichen und *schmutzigen* Akt. Es mag sein, daß auch die Ansichten der Reformatoren nach moderner Anschauung noch zu wünschen übrigließen. Vergleicht man jedoch diese Ansichten mit denen der Kirchenväter, so muß man zugeben, daß die Kirche mit der Reformation bezüglich der Sexualität einen großen Schritt nach vorn getan hat.

Immer wieder waren es einzelne Christen – zumeist Schriftsteller und Dichter –, die für eine echte Liebesbeziehung in der Ehe eintraten. Sie betrachteten die Sexualität als wertvolle und heilige Gabe Gottes, geschaffen zur Freude von Mann und Frau. So schrieb zum Beispiel im 16. Jahrhundert der englische Dichter Edmund Spenser eine Reihe von Liebessonetten (die *Amoretti*) an seine spätere Frau Elizabeth Boyle in einer reichen poetischen Bildersprache, die an das Hohelied Salomos erinnert. Ohne Scheu beschreibt er seine Gefühle für Elizabeth, rühmt ihre Schönheit, ihre Anmut, ihr Wesen. Er leugnet nicht seine Sehnsucht nach der Geliebten. »Epithalamion«, ein kurzes Hochzeitslied, das er vor ihrer Heirat schrieb und ein Jahr später veröffentlichte, erzählt von dem ungeduldigen Warten des Bräutigams auf die Hochzeitsnacht. Dann sagte er zu der willkommenen, so lang erwarteten Nacht: »Breite deine Flügel über meine Liebste und mich, auf daß uns niemand sehen kann.« Spenser konnte seinen christlichen Glauben ohne Schwierigkeiten mit der Liebe zu einer Frau in Einklang bringen. Er sah keinerlei Veranlassung, die göttliche Liebe nicht mit der menschlichen in Beziehung zu setzen. Im 68. Sonett der *Amoretti*, das er zu Ostern verfaßte, freut sich der Dichter an Christi Sieg über Tod und Sünde, und er bittet den auferstandenen Herrn, ihm und seiner zukünftigen Frau die Freude zu schenken, die in der versöhnenden Liebe und Auferstehung Jesu Christi begründet liegt. Das Gedicht drückt den Wunsch Spensers aus, durch die Erfahrung der Liebe Gottes auch mehr über die Liebe zwischen ihm und seiner Frau zu lernen.

»Hochgelobter Herr des Lebens, der Du an diesem
Tag den Sieg über Tod und Sünde errangst;
Und, nachdem Du Höllenqualen erlittest,
Die Gefangenschaft hinwegnahmst, um uns Gefangene
zu erretten;
Diesen freudigen Tag, lieber Herr, laß uns mit Freude
beginnen,
Und gib, daß wir, für die Du starbst
Und die durch Dein teures Blut reingewaschen sind
von der Sünde,
Für immer glücklich leben dürfen,
Und auf daß wir Deine Liebe hoch schätzen
Und Dich ebenso wiederlieben können.
Möge einer den anderen mit Liebe erfreuen, weil
Du uns so teuer erkauft hast.
So gib nun, daß wir uns einander lieben, so, wie
wir es tun sollen.
Denn Liebe ist, was uns der Herr gelehrt.«

Heutzutage ist es »in«, jedes Verbot im Bereich der Sexualität als »puritanisch« zu bezeichnen. Aber was versteht man denn nun eigentlich unter »Puritanismus«? Die Puritaner waren eine seit Ende des 16. Jahrhunderts bestehende, streng calvinistische Bewegung in England mit zahlreichen Widersprüchen. Auf der einen Seite wird das, was man gemeinhin unter »Puritanismus« versteht, als harte, unnachgiebige, ernste, fast asketische Sittenstrenge angesehen. Da gab es Verbote gegen gewisse Spiele und gegen bestimmte Aktivitäten an Sonn- und Feiertagen. Das Trinken von Bier und Wein war nur mit Einschränkungen erlaubt. In der Kleidung der Frauen erblickte man zeitweilig eine »schwere Übertretung« des 7. Gebotes, und ein Gesetz von 1650 verbot es den Frauen, Kleider zu tragen »mit kurzen Ärmeln, wodurch die Nacktheit der Arme entblößt werden könnte«. Kirchenakten eines Ortes zeigen, daß jedes Paar, dessen Kind weniger als sieben Monate nach der Hochzeit geboren wurde, ein öffentliches Geständnis der Unzucht ablegen mußte, »widrigenfalls das Kind mit ewiger Verdammnis bestraft« würde. Es gab sogar Fälle, wo die Mutter eines vor der Ehe gezeugten Kindes in Ketten gelegt wurde, um mit anzusehen, wie man ihren Mann auspeitschte – dies geschah in Plymouth. In manchen Gegenden wurde Ehebruch mit dem Tode bestraft, in anderen durch das lebenslange Tragen des scharlachroten Buchstabens »A« (Adultery = Ehebruch). Auch Geldbußen oder das Brandmarken mit einem heißen Eisen gehörten zu den Strafen, die gegen sexuelle Verfehlungen verhängt wurden.

Einige Historiker meinen, daß die außergewöhnliche Aufmerksamkeit, die man sexuellen Verfehlungen beimaß, die Flamme nur noch mehr entfachte. Vor allem die Tatsache, daß »Missetäter« auf sexuellem Gebiet in aller Öffentlichkeit gebrandmarkt wurden, dürfte verhängnisvolle Folgen gehabt haben. So dürften beispielsweise die ausführlichen öffentlichen Geständnisse bei weiten Bevölkerungsteilen eine heimliche, höchst ungesunde Freude hervorgerufen haben. In jedem Fall aber führte das öffentliche Anprangern sexueller Verfehlungen dazu, daß man sich übermäßig mit der *Sexualität* beschäftigte.

Aber das war nur eine Seite des Puritanismus. Doch andererseits waren Puritaner keineswegs für all das verantwortlich, was man ihnen später zudiktiert hat. Sicher waren die Puritaner davon überzeugt, Geschlechtsverkehr außerhalb der Ehe sei eine schwere Sünde. Aber deshalb waren sie noch lange nicht gegen die

Sexualität an sich. Darin unterschieden sie sich von den ersten Kirchenvätern. Die Puritaner nämlich hatten große Achtung vor der ehelichen Beziehung zwischen Mann und Frau. Morton Hunt führt als Beispiel den Fall eines Mannes an, der bestraft wurde, weil er sich zwei Jahre lang geweigert hatte, mit seiner Frau geschlechtlich zu verkehren. Die betreffende Gemeinde wertete das als »unchristlich und unnatürlich« und beschloß, den Mann aus der Kirche auszuschließen.

Edmund S. Morgan kommt nach einer gründlichen Durchforschung der öffentlichen Bibliothek von Boston (über 2000 Bücher, Briefe, Tagebücher und andere Manuskripte über die Geschichte Neuenglands) zu dem Ergebnis, die Ehe der Puritaner sei keineswegs eintönig und langweilig gewesen. Echte Wärme und Freude charakterisierten die puritanischen Familien. Es gab Eheleute und Kinder, die sich übereinander und miteinander über ihren Gott freuten. Frühe Liebesbriefe machen deutlich, daß sich Ehepaare keinesfalls scheuten, ihre Liebe entweder verbal oder körperlich auszudrücken. Sexuelle Leidenschaft als Ausdruck ihrer Liebe war nicht etwas Unanständiges, wie die ersten Kirchenväter gelehrt hatten. Der fromme Puritaner und seine Ehefrau hüteten sich nur vor einem: sich so zu lieben, daß sie darüber Gott vergaßen. Verschiedene Briefe von verlobten oder verheirateten Paaren sprechen davon, wie sehr sie den anderen Menschen liebten, fügen jedoch hinzu »... an zweiter Stelle nach Jesus Christus« oder »... aber es muß dem Lobpreis Gottes untergeordnet bleiben«.

Die Puritaner verhängten strenge Strafen gegen den vor- und außerehelichen Geschlechtsverkehr, aber sie behaupteten nie, Sexualität existiere überhaupt nicht. Diese Behauptung stellten die *Viktorianer* auf. Oberstes Gebot war bei ihnen die Keuschheit der Frauen. Doch die Pornographie, in Büchern und auf Bildern, war im England des 19. Jahrhunderts ein blühendes Geschäft. Ein Autor behauptet sogar, es habe, gemessen an der Bevölkerungszahl, niemals vorher oder nachher so viele Prostituierte gegeben wie im viktorianischen Zeitalter. Es war in jener Zeit erlaubt, intime Beziehungen zu Mädchen über zwölf Jahren zu pflegen – ein »Privileg«, das Fabrikbesitzer der Mittelklasse voll ausnutzten. Mit Dutzenden von Mädchen aus der Arbeiterklasse, die in ihren Diensten standen, hatten sie geschlechtliche Beziehungen. Ihre eigenen Frauen hingegen belehrte man dahingehend, der Sexualtrieb ihrer Männer sei das »Tier der menschlichen

Natur«. Die Frauen übersahen den Ehebruch ihrer Männer geflissentlich. Auch für die Prostitution hatte man eine Erklärung parat. Sie war, so behauptete man, eine Art soziale Institution, dazu bestimmt, den sexuellen Bedürfnissen des Mannes entgegenzukommen.

Was im viktorianischen Zeitalter den Männern recht war, das war den Frauen noch lange nicht billig. Die Frau wurde (sowohl in England als auch in Amerika) zum »Engel des Hauses«, zur »Tugendwächterin« hochstilisiert. Sexualität gab es für sie einfach nicht bzw. hatte es für sie nicht zu geben. Den Ehefrauen wurde beigebracht, nur Prostituierte empfänden Freude am Geschlechtsverkehr. »Gute« und »ehrbare« Frauen hingegen sollten den Geschlechtsverkehr lediglich »erdulden« – als Ausfluß der »tierischen Natur« ihrer Männer.

Prüderie war das oberste Gebot jener Tage. Bücher, die sich mit sexuellen Themen befaßten, wurden streng zensiert. Die viktorianischen Männer wollten nicht, daß ihre Frauen überhaupt etwas über die Sexualität wußten. Sie mußten rein und unschuldig gehalten werden. Selbst Shakespeare galt (bis auf wenige Stellen) als zu »unanständig« für das weibliche Geschlecht. Wörter wie »Schoß« und »Leib« wurden in einigen Fällen aus der Bibel oder dem Gebetbuch gestrichen. Man erzählte den Frauen, Sittsamkeit sei das Ideal schlechthin. Da jedoch auch die Frauen des viktorianischen Zeitalters keinesfalls männlicher Aufmerksamkeit gegenüber abgeneigt waren, mußte man sich etwas einfallen lassen, wie man diese Aufmerksamkeit als Frau erhalten konnte. Die Lösung sah folgendermaßen aus: Die Frau mußte weinen, in Ohnmacht fallen, erröten, vor Schreck oder Angst schreien. Befolgte sie diese Anweisungen, konnte sie der Aufmerksamkeit und des Schutzes ihres Mannes gewiß sein. Es wimmelte nur so von Euphemismen (sprachlichen Beschönigungen). Statt »schwanger« sprach man von einem »bedeutungsvollen Zustand«. »Bein« war ein Wort, das von keiner anständigen Frau ausgesprochen wurde. Statt dessen mußte man von den »Gliedmaßen« des Tisches oder des Klaviers sprechen. Ärzte hatten in ihren Sprechzimmern (bekleidete!) Puppen, damit die Patientinnen auf den Ort ihrer Schmerzen deuten konnten – ohne die betreffende Stelle am eigenen Körper zeigen zu müssen. Einige Zeitungen empfanden es als zu heikel, die Geburt eines Kindes zu erwähnen. Schwangere Frauen lebten in der Abgeschiedenheit ihres Hauses. Sie schämten sich, in diesem Zustand an die Öffentlichkeit zu treten.

Kurzum, man war wieder einmal soweit: Sexualität und der menschliche Körper waren etwas Niedriges, Unaussprechliches. Dies also ist das Erbe, das uns die Geschichte hinterlassen hat. Und es gereicht der Kirche nicht zur Ehre, daß sie mit den Auswüchsen dieser Geschichte identifiziert werden kann. Die Kirche hat im Bereich der Sexualität im Verlauf der Geschichte schwere Fehler begangen. Einen Fehler begehen aber auch all diejenigen, die nun daraus folgern, das Christentum selbst stehe der Sexualität feindlich gesonnen gegenüber. Denn »Christentum« und »Kirche« hatten in bestimmten Zeiten – leider! – nur wenig miteinander gemein. Unsere Aufgabe muß deshalb sein, zu erforschen, was die Heilige Schrift als Grundlage des Christentums und damit auch der Kirche zum Thema Sexualität zu sagen hat.

Liebe und Pornographie

Es ist heutzutage unmöglich, dem Thema Sexualität gleichgültig gegenüberzustehen. Die Stellungnahmen sind extrem und
schwanken zwischen der Angst vor der Sexualität einerseits und
dem Kult der Sexualität andererseits.

Jener Personenkreis, der sich vor der Sexualität fürchtet, sieht
sie als ein – wenn auch unvermeidliches – Übel an. In dieser Atmo-
sphäre der Angst wird die Sexualität als etwas von Grund auf
Schmutziges, Schlechtes und Bedrohliches betrachtet, das in alle
Gebiete vordringt. Die einzige Lösung besteht dann darin, dieses
Übel zu umgehen oder zu ignorieren.

Auf der anderen Seite begegnet man den glühenden Verehrern
dieser Sexualität, die sich der regelrechten Anbetung der Wollust
hingeben. Im Namen der »hochheiligen« Freiheit und gewisser
erotischer Ideologien, die eigentlich nur Versuche sind, die Pornographie zu verharmlosen, ist die Sexualität zu einem richtigen
Kultobjekt geworden, das nur eine Regel kennt: die Lust um
jeden Preis. Die Lust ohne Liebe, ohne Bindung, ohne Dauer und
letztlich ohne menschliches Gegenüber. Unsere Epoche hat auf
dem Gebiet der Sexualität alle Werte entheiligt.

Ich möchte nicht den Eindruck erwecken, daß ich voller Nostal-
gie auf die Vergangenheit zurückblicke oder daß ich dieser Zeit
nachtrauere. Nein, ich denke vielmehr, daß die Verschwörung des
Schweigens, die damals herrschte, schwere Folgen mit sich
gebracht hat. Es ist auch unverkennbar, daß die Sexualität in ihren
verschiedenen Erscheinungsformen schon immer im Mittelpunkt
des menschlichen Lebens stand. Die Bibel bestätigt dies und versucht keinesfalls, das Problem zu ignorieren. Octave Mirbeau
(1848–1917) schreibt: »Die Frau ist kein Kopf, sondern ein
Geschlechtsorgan; das ist viel schöner!« Dieses Bild der Frau war
also schon im letzten Jahrhundert weit verbreitet. Unsere von der
Sexualität beherrschte Gesellschaft hat nichts Neues erfunden!

Es ist jedoch nicht zu leugnen, daß sich die Pornographie in
unserem Jahrhundert »eingebürgert« hat. Kürzlich händigte man
mir im Zug eine Broschüre aus, die mir angeblich helfen sollte,
meine Verführungskunst zu messen. Zehn Fragen, plus eine
Zusatzfrage, gaben mir die Möglichkeit, mich in diesem Bereich

besser kennenzulernen: verführerischer »Macho« oder geheimnisvoller Mann. Auch Frauen konnten ihre Verführungskünste messen: femme fatale, Sexidol oder Verführerin. Auf den ersten Blick ein ganz banaler Test. Wäre ich aber bereit gewesen, darauf einzugehen, hätte er aus mir einen »Schürzenjäger« und aus den mir begegnenden Frauen eine mögliche Beute gemacht. Kann die Verführungskunst, wenn sie als eine Sportart oder Lebensweise betrachtet wird, Nutzen bringen? Wenn das uns vorgeschlagene Bild des Idealmanns nichts anderes als ein Casanova oder ein Don Juan ist und die ideale Frau »so explosiv wie der Vesuv und der Ätna zusammen«, dann behaupte ich, daß es sich hier nicht mehr um Zärtlichkeit und noch weniger um Erotik handelt, sondern um eine schlimme Entartung der menschlichen Sexualität. Diese wurde ja ursprünglich dem Menschen als Kraft des Sich-Hingebens, des Gebens und Nehmens geschenkt, die ihm dabei helfen sollte, seine Berufung, zu lieben und sich einer anderen Person hinzugeben, zu erfüllen. Doch nun ist sie zu einer unpersönlichen Kraft degradiert, die den Menschen zum hilflosen Sklaven seiner Sinne macht.

Denn dies ist das Wesen der Pornographie: Sie entwürdigt und verarmt den ganzen Menschen, indem sie die Sexualität von seiner Persönlichkeit abspaltet.

Angst vor der Sexualität, Kult der Sexualität – Wo bleibt die Liebe bei alledem?

Das Problem ist, daß heutzutage nicht mehr von Liebe gesprochen wird – und wenn doch, dann nur von einer unechten Liebe, einer entarteten und unserer begrenzten Vorstellung angeglichenen Liebe. Diese neue Art der Liebe ist heute »in«, und mit ihr gehen Enttäuschungen und Verzweiflung einher. Ich glaube, daß der größte Betrug unserer Zeit in dieser absichtlich gepflegten und gehegten Verwirrung liegt.

»Ich liebe dich« heißt heute eigentlich: »Ich will mir dir schlafen, jetzt gleich.« – »Ich kann lieben, wen ich will« bedeutet: »Ich schlafe, mit wem ich will und wann ich will.«

Dies also versteht man unter Liebe: eine auf die Lust und den Augenblick begrenzte Beziehung. Diese Liebe enthält nichts Verbindliches mehr. Wo Menschen die Liebe mit dem Verlangen gleichsetzen, mit jemandem zu schlafen, dauern die daraus entstandenen Beziehungen nur so lange, wie diese Leidenschaft anhält.

Das Schlimmste ist nach meiner Meinung die Degeneration, die Bedeutungslosigkeit der menschlichen Liebe, ihre Reduzierung auf das rein genitale Geschehen.

Man behauptet, daß durch die Angst vor AIDS ein Wandel der Einstellung und der sexuellen Verhaltensweisen stattfinden wird; das AIDS-Virus werde die Menschen wieder zur wahren Liebe führen. Persönlich glaube ich jedoch, daß es mehr braucht als die Angst vor einer Krankheit – so schrecklich sie auch sein mag –, um die Gesinnung der Menschen zu ändern. Liest man Sachbücher oder Broschüren zur Verhütung von AIDS, so merkt man, daß es in erster Linie darum geht, nach Lösungen zu suchen, die das eigentliche Problem umgehen. Man empfiehlt, beim Gebrauch von Kondomen vorsichtiger zu sein; auf die Idee, das sexuelle Verhalten überhaupt in Frage zu stellen, kommt man kaum.

Nur Buße, so wie die Bibel sie versteht, kann den Ehebruch beseitigen. Die wahre Liebe kann erst dann wieder zur Geltung kommen, wenn der Mensch bereit ist, seine Abhängigkeit von Gott zu bejahen.

Die Pornographie in all ihren Erscheinungsformen ist der größte Feind der Liebe. Pornographie – ob in Literatur, in Film oder Werbung – verstümmelt die Liebesfähigkeit des Menschen. Sie redet uns ein, es gehe um das Glück des anderen, während es sich in Wirklichkeit um puren Selbstzweck, gepaart mit Egozentrik, handelt.

Dies gilt besonders für das, was man in Frankreich das »rosarote Minitel«* nennt. Hier genügen einige EDV-Kenntnisse, einige sehr moderne Vorstellungen über menschliche Beziehungen, Sinn fürs Geschäft und eine gut durchgeführte Werbekampagne, um ein »Netz« zu gründen. Diese Organisationen haben sich zum Ziel gesetzt, die große Schar der »Anonymen« miteinander in Verbindung zu bringen, wobei man ihnen die atemberaubendsten Liebesabenteuer verspricht. Die Reise endet meistens unter der Gürtellinie, und der Bildschirm wird zu dem Ort, an dem alle Lüste und Phantasien erlaubt sind.

Was spricht nun gegen diese Art von neuer »Kommunikation« per Bildtelefon? Darauf möchte ich antworten:
1. Worte – so prägnant sie auch sind – spiegeln nicht immer die Gedanken eines Menschen wider. Ich kann etwas sagen, versuchen, es zu zeigen, und trotzdem so tun, als ob…, weil ich für den, der sich am anderen Ende der Leitung befindet, nicht

---

* In Deutschland gibt es seit kurzem ein ähnliches Kommunikationsmittel: das MultiTel. Das Minitel bietet fast die gleichen Möglichkeiten wie das MultiTel an. Die Teilnehmer können unter anderem mit anderen an das Netz angeschlossenen Personen per Bildtelefon kommunizieren.

sichtbar bin. Das Ziel des »rosaroten Minitels« ist es nicht, daß sich Menschen wirklich preisgeben – um beachtet und verstanden zu werden. Die Enthüllung geschieht nur auf verbaler Basis. Man ist nicht darum bemüht, die Menschen zur Kommunikation zu ermutigen, sondern man befriedigt die Schaulust bzw. die sexuelle Gier des einen mittels des verbalen Exhibitionismus des anderen – mit all der daraus resultierenden Frustration. Da Worte die einzige Kommunikationsmöglichkeit sind, kommt es oft zu einem Wortschwall, der in proportionalem Verhältnis zu seiner Inhaltslosigkeit steht. Dies ist natürlich kein Weg, um sich kennenzulernen.

2. Diese Netze mögen durchaus ein beliebter Treffpunkt des Publikums sein; sie bleiben trotzdem Orte der »vereinten Einsamkeiten«. Für die Zeit eines Bildschirmkontaktes wird jeder seinen Alltag ausklammern, sich als die Person darstellen, die er sein möchte, und sich »imaginären Umarmungen« hingeben. Das Schweigen und die Leblosigkeit der Maschine, der tonlose, atemlose Dialog werden die Person in die Wirklichkeit zurückrufen, weil die Kommunikation über eine teilnahmslose Maschine abläuft. Gefühle kümmern den Bildschirm nicht. Diese Maschine kann nur das weitergeben, womit sie »gefüttert« wurde.

Das »rosarote Minitel« und die Pornographie finden in dieser Zweiteilung von Liebe und Sexualität zusammen. Die Beziehung über den Bildschirm führt zu einer Vereinigung von Realität und Ideal. Diese ist aber von vornherein zum Scheitern verurteilt. Denn solche »Beziehungen«, wie sie beschönigend genannt werden, führen zu noch tieferer Zerrissenheit der Persönlichkeit.

Man sollte sich nicht täuschen: Solche Beziehungen sind der größte Feind der Liebe. Wahre Liebe ist vor allem das völlige Ja-Sagen zu einem anderen Menschen. Liebe kann sich deshalb nicht in einem Austausch von Erotismen verwirklichen. Das einzige, was beim »Bildschirmsex« herauskommen kann, ist Masturbieren. Bei der Masturbation aber bleiben die Menschen auf sich selbst bezogen, was die Einsamkeit verschlimmern kann und ihre Ichbezogenheit verstärkt.

Ich möchte abschließend auf die biblische Sicht der Sexualität eingehen. Wer Gottes Wort liest, entdeckt, daß darin weder von einer Angst vor der Sexualität noch von einem Kult der Sexualität die Rede ist.

Ich bin davon überzeugt, daß die Menschen heutzutage mehr denn je in puncto Sexualität und Liebe klare Richtlinien brauchen. Deren Sinn kann es aber nicht sein, die Gedanken der Menschen zu verdunkeln oder heikle Fragen zu verdrängen. Ihr Ziel ist es vielmehr, die Liebe und die Sexualität davor zu bewahren, in die Bedeutungslosigkeit, Lächerlichkeit und Mittelmäßigkeit abzugleiten. Wir glauben, daß Gott die Sexualität und die menschliche Liebe geschaffen hat. Wie jeglicher Schöpfung Gottes gelten auch ihnen seine Güte und seine Gebote. Sie sind ein Beweis seiner Liebe zu den Menschen. Diese Richtlinien sind also keineswegs autonom oder rein moralischer Natur, sondern sie gründen sich in Gottes Liebe zu uns Menschen.

Bereits am Anfang der Bibel wird die Sexualität erwähnt. Man sollte sich die Zeit nehmen, um all die Bibelstellen zu lesen, die die Liebe hervorheben, die den Körper als Vermittler der Emotionen und der Zärtlichkeit positiv darstellen, die die Ehepartner einladen, sich ganz dem Partner zu schenken... ohne Vorbehalt.

Lesen wir das Hohelied Salomos, diese Liebeshymne, diesen Dialog zweier Brautleute, die sich in einer sehr poetischen Sprache ausdrücken. Mit welch einer Freiheit preisen sie ihre Liebe zueinander als Geschenk Gottes!

Paulus entwickelt im Neuen Testament die gleichen Gedanken. Er sagt in 1. Korinther 7, daß sich in der Ehe die Partner einander schenken sollen, daß Mann und Frau nicht mehr über ihren eigenen Körper verfügen und daß sie sich nicht ohne beiderseitiges Einverständnis einander entziehen können.

Der Körper wurde lange Zeit von den Theologen als Ursprung der Sünde angesehen, den es unbedingt zu unterdrücken galt. Der Körper und die Sexualität wurden verachtet und verworfen, weil der Ausdruck der Sexualität körperlicher Art ist. Tertullian sagte am Ende des 2. Jahrhunderts:»Das Gottesreich ist die Heimat der Eunuchen.« Ambrosius spricht Ende des 4. Jahrhunderts einen ähnlichen Gedanken aus:»Die Eheleute sollten sich ihres Standes schämen.« Liest man solche Texte der ersten Jahrhunderte, so hat man den Eindruck, daß die Frau als die Pforte zur Hölle betrachtet wurde. Sie ist diejenige, die die Begierde des Mannes weckt. (Die verbotene Frucht im Garten Eden wird in einer Theologie, die heute noch weit verbreitet ist, mit einer sexuellen Sünde gleichgesetzt.)

Die Aussagen der Bibel können nicht zu dieser Verachtung, dieser Angst vor dem Körper und der Sexualität führen. Einige griechische Denker jedoch glaubten, der Körper sei ein Hindernis für den Geist und behindere das Denken des Menschen. Dieser philosophische Dualismus Körper-Geist wurde dann von einigen Theologen aufgegriffen, die ihn auf die Ebene der Moral und der Theologie übertragen haben.

Das Neue Testament sagt zwar klar und deutlich, daß »Fleisch« und »Geist« miteinander im Streit liegen, etwa im Galaterbrief. Das Fleischliche wird hier aber weder mit dem Körper noch mit der Sexualität gleichgesetzt. Doch die Verachtung des menschlichen Körpers ist biblisch nicht fundiert. Die heutige Auffassung von Liebe und Sexualität steht im krassen Gegensatz zu dem, was Gott uns in seinem Wort lehrt. Die Sexualität entartet, sobald man versucht, sie von der Liebe und dem Wesen des Menschen zu trennen. Wenn sie nicht mehr Ausdruck des Austauschs und der Kommunikation ist, wenn sie sich von der Liebe unabhängig erklärt und wenn sie von der Verantwortung getrennt wird, dann reduziert sie sich auf den Trieb. Wie kann sich aber Sexualität anders entwickeln und zum Ausdruck gebracht werden? In drei Punkten soll darauf eine Antwort gegeben werden.

1. Die Liebe
Weil Gott die Liebe ist und weil er uns liebt, deshalb können wir von Liebe sprechen – und auch lieben! Unsere Liebe kann nicht losgelöst von Gottes Liebe sein, die er als Schenkender uns zuerst entgegengebracht hat (1. Johannes 4,19). Menschliche Liebe ist nur ein Widerschein göttlicher Liebe. Gottes Liebe bedingt unsere Liebe, sie ist unser Vorbild.

Ist Gottes Liebe die Basis unserer menschlichen Liebe, so müssen wir versuchen zu verstehen, was die göttliche Liebe beinhaltet. Liebe bedeutet: den Wert eines anderen Menschen anerkennen. Das Leben Jesu veranschaulichte diesen Aspekt der Liebe: Für Jesus hatte das Leben anderer mehr Wert als seines. Dies sagt auch Johannes in seinem 1. Brief: »Darin besteht die Liebe: nicht, daß wir Gott geliebt haben, sondern daß er uns geliebt hat und gesandt seinen Sohn zur Versöhnung für unsere Sünden« (1. Johannes 4,10).

Das Wesen der Liebe heißt: für den anderen dasein, für ihn leben, in dem anderen den Sinn unseres Lebens finden. Nur in diesem Rahmen soll sich unsere Sexualität ausdrücken. Liebe kann also keine belanglose Erfahrung sein und noch weniger zur

Ausnutzung oder Unterhaltung des Partners dienen. Sie wurde uns geschenkt, um dem Partner in innigster Weise zu begegnen.

2. Die Treue

In Epheser 5 wird uns gezeigt, daß Gott große Erwartungen an die menschliche Liebe stellt. Gott will an der Beziehung von Mann und Frau seine eigene Liebe und Treue veranschaulichen. Darin liegt die Rechtfertigung unserer Sexualität. Es geht deshalb nicht an, die Sexualität als etwas Nebensächliches zu betrachten, das nur unseren Körper betrifft, ohne daß auch unser ganzes Wesen – und das des Partners – miteinbezogen wäre. Dies erklärt die Verwunderung der Jünger in Matthäus 19,10, als sie verstanden, wie tief und wie unwiderruflich das Eheversprechen ist, das durch das Ein-Fleisch-Werden besiegelt wird.

Die geistliche Dimension der Sexualität besagt, daß es unmöglich ist, geschlechtliche Beziehungen zu haben, ohne unser ganzes Wesen einzubringen, d.h. ohne unseren Körper und unsere Seele lebenslanger Hingabe und Treue zu verpflichten, so wie Gott sich uns gegenüber durch seine Liebe verpflichtet hat. Der Geschlechtsakt bewirkt eine Bindung in den Dimensionen der Zeit und der Persönlichkeitsentwicklung. Er ist niemals neutral und kann nicht als eine Erfahrung ohne Konsequenzen abgetan werden.

3. Das Schenken

Der Ausdruck »Ein-Fleisch-Werden«, der oft in der Bibel vorkommt, wird nur im Zusammenhang mit der Ehe gebraucht, außer in 1. Korinther 6, wo aufgezeigt wird, daß außerhalb der Ehe eine so innige Vereinigung nicht möglich ist: »Wißt ihr nicht: wer sich an die Hure hängt, der ist *ein* Leib mit ihr?« Paulus' sehr deutliche Vergleiche in diesem Kapitel haben ein einziges Ziel: Sie sollen uns zeigen, daß eine nicht ernst genommene sexuelle Beziehung ein Widerspruch in sich selbst ist.

Wir können und sollen uns nicht leichtfertig zu diesem Schritt entscheiden. Der Geschlechtsakt ist kein Konsumgut, das man ungestraft und ohne nachteilige Folgen »verbrauchen« kann. In der sexuellen Begegnung öffne ich meinem Partner den Wert und die Tiefe meines Wesens, ich liefere mich ihm aus und gebe mich ihm ganz hin. So werden zwei Individuen zum Paar. Dieses gegenseitige und ausschließliche Schenken kann nur im Rahmen des Versprechens einer treuen und dauerhaften Ehebeziehung gelebt werden.

Gruppensex und Partnertausch

In den 50er Jahren gab es eine erste Welle, die von den USA zu uns herüberschwappte: Partnertausch, Liebe zu dritt oder zu viert und Sexkommune waren die Schlagworte. Der Leigh-Report berichtete Einzelheiten aus den USA, vermittelte aber auch die desillusionierenden Erfahrungen der Beteiligten. In Deutschland klang diese Welle zwischenzeitlich weitgehend ab. Doch mag es das gewachsene Maß an Freiheit sein, der zunehmende Überdruß an Essen und Trinken, die dick und krank machen, oder die schwindende Lebensfreude und Zukunftshoffnung: Seit Mitte der 80er Jahre sind Gruppenparties wieder eine offenbar zunehmende und heute immer stärker institutionalisierte Erscheinung. Überall schießen Sex-Clubs wie Pilze aus dem Boden, die Partyzeiten und Pärchenabende anbieten. Zeitschriften vermitteln Sexkontakte nach dem Muster:»Ehepaar, Raum Hamburg, Ende 40, großzügig, tolerant, sucht auf diesem Wege gleichgesinntes für gemeinsame Stunden mit P.T. Eventuelle Fotozuschriften unter Chiffre...«, wobei P.T. für Partnertausch stehen dürfte.

Weil die Liebesbindung auf Dauer immer mehr zum Risiko zu werden schien, weil die Zahl der alleinlebenden Erwachsenen aus Eheenttäuschung oder Eheskepsis immer größer wurde, gewann die unverbindliche sexuelle Begegnung in angenehmer Atmosphäre für eine Nacht eine neue Attraktion. Sexualität und Gefühl trennten sich. Neben zahlreichen persönlichen Enttäuschungen vergnügt Partnertausch bestenfalls das Paar, das sich ein Spiel und ein Abenteuer daraus macht, und enttäuscht jenes andere, welches aus irgendwelchen Gründen nur mitzieht. Der Mensch ersehnt in seiner Wesensart nämlich nicht nur sexuelle Befriedigung, sondern Erwiderung, also persönliches Engagement, Zuwendung, Liebe und Dauer.

Vor 25 Jahren war Herpes die medizinische Alarmleuchte, die viele nach langwierigen Behandlungen bald wieder in den häuslichen Hafen zurückbrachte. Heute sind die Gefahren gewachsen. AIDS ist der Schrecken der internationalen Homo-, Bi- und Gruppensexszene. Denn AIDS ist keine ausgesprochene Homosexuellenkrankheit und nur wegen der hohen Wechselfreudigkeit bei Homosexuellen besonders verbreitet. Gefährdet ist aber auch die heterosexuelle Prostitution und Swingszene. Es scheint, als ob die Natur sich gegen ihren Mißbrauch wehrte. Die feste Bindung an einen Partner ist offenbar vom Schöpfer vorgesehen. Selbst ein so moderner Psychoanalytiker wie Horst-Eberhard Richter, der als tolerant, liberal und aufgeschlossen gilt, sagt eindeutig:»Die Sehnsucht nach dem großen Glück in der Zweierbeziehung ist unverändert. Eine tiefe seelische Bindung zum Partner schließt den Dritten aus.«

Wenn Dritte einbezogen werden, spricht dies wohl dafür, daß es an einer tiefen seelischen Bindung fehlt. Hier wirken wahrscheinlich Auflösungstendenzen in der Familie mit. Immer mehr Kinder wachsen so in zerrütteten oder geschiedenen Ehen heran und haben folglich selbst wieder Probleme mit der Partnerwahl. Die Bevorzugung unverbindlicher Partnerbeziehungen, nicht zuletzt auch in Single- und Sexgruppen, scheint die bequemere und »ungefährlichere« Alternative zu sein.

Daß diese *nicht* ungefährlich ist, beweisen die fast täglich in der Zeitung zu lesenden Meldungen über neue Erkrankungen. Übrigens hat die Zahl der Infektionsfälle der »klassischen« Geschlechtskrankheiten Gonorrhöe und Syphilis nur »AIDS-bedingt« etwas abgenommen. Die Tatsache, daß sie heute schneller zu heilen sind als in früheren Jahrhunderten, läßt oft leicht ihre Gefährlichkeit vergessen.

Schon aus gesundheitlichen Gründen muß also vor Gruppensex gewarnt werden. Die eigentlichen Schäden sind jedoch seelischer und sozialer Art. Es werden sich die Erfahrungen wiederholen, die der Leigh-Report aufführte: Schalheit und Enttäuschung; erschütternde Einsamkeit im Alter, das man hinauszuschieben versucht und – wenn man nicht mehr gefragt ist – um so schrecklicher erlebt: Auflösung von bisher bestehenden Paarbeziehungen und die Gewöhnung an die Praxis, Sex und Liebe, Akt und Gefühl zu trennen. Hierin liegt vielleicht der größte menschliche Verlust, demgegenüber man die Suche nach einer dauerhaften und ausfüllenden Paarbeziehung nachhaltig vertreten muß.

Der gewachsene Markt der Partnersuchenden birgt ein brisantes Potential an seelischer und sozialer Auflösung von Normen und Strukturen in sich. In diesem Zustand dürfte es im Grunde nur die Alternative geben, das Alleinleben zu bejahen oder mit Nachdruck eine neue erfüllende Partnerschaft zu suchen. Da das erste den meisten kaum möglich zu sein scheint, müßte das zweite um so stärker unterstrichen und bejaht werden.

Sicher muß bei der Partnersuche auch eine Durchgangsphase des Kennenlernens mehrerer Partner ermöglicht und einkalkuliert werden. Daß dies aber durch intime Preisgabe geschieht, ist als ungeeigneter Weg durchschaubar. Die letzte Fähigkeit zur Partnerliebe und -bindung wird nämlich dadurch zerstört. Das ist sicher nicht gerade das, was ein neuer Partner sich wünscht. Dies sollten sich all jene überlegen, die – wie bereits mehr als eine Million Paare, wenn man den Befragungen glauben darf – mit dem Gedanken spielen, auch einmal Gruppensex-Erfahrungen zu machen. Sämtliche Bekundungen sprechen dafür: Sie halten auf die Dauer nie, was sie versprechen.

Die biblische Wegweisung ist anders: Der Leib des Menschen wird als »Tempel des Heiligen Geistes« (1. Korinther 6,19) bezeichnet. Damit ist ihm eine Würde gegeben, die nicht auf dem Markt der Liebesmöglichkeiten zu Grabe getragen werden sollte. Gott hat dem Menschen Bindungsfähigkeit geschenkt. Nur der Mensch ist imstande, seine Triebe und Begierden zu disziplinieren. Er muß nicht dem Lustprinzip frönen, sondern hat die Chance, die Erfüllung der Leiblichkeit so zu erleben, daß eine Einheit auf seelischer und geistiger Ebene zustande kommt. Es ist die Treue, die erfüllt und die verbindliche Partnerschaft, in der Geist, Seele und Leib zu einer Einheit geformt werden. Die Sehnsucht nach Treue ist jedem Menschen zutiefst eigen. Nur die Liebe, die sich mit der Treue vermählt, ist Liebe. Und nur die Treue, die sich liebend auf Dauer bindet, ist Treue. Man vertraut einander ohne Zeitmaß und Gefühlsbarometer. Das ist befreiend, das macht geborgen, sicher und fröhlich.

Sexualität und Gewalt

Die Idealvorstellung von Sexualität als Ausdruck der Zärtlichkeit und des Verlangens läßt es unmöglich erscheinen, daß diese intime Beziehung zwischen zwei Menschen anders als mit guten und frohen Absichten besetzt sein kann. Die Geschichte der Menschheit belegt aber, daß Sexualität oft mißbräuchlich im Sinne der Gewaltanwendung verstanden wird. In diesen Fällen ist Sexualität nicht Mittel, um sich liebevoll mitzuteilen, einander zu beglücken und zu ergänzen, sondern um zu beherrschen und das eigene Revier abzustecken.

Die Herrschsucht des Mannes führt zu teils groben, teils subtilen Formen der Gefügigmachung des weiblichen Geschlechts; sie führt dabei nicht zu einem Miteinander, sondern zu einem Gegeneinander, wodurch die Brücke zum Du nicht geschlagen werden kann. Was den Gewaltausübenden beflügelt, sind Phantasien, die ihn antreiben und deren Verwirklichung er in den herbeigeführten Akt hineinprojiziert. Der Betroffene, fast immer eine Frau, bleibt ohne innere Zuwendung und fühlt sich mißbraucht.

Vergewaltigung

Die häufigste Form der *Vergewaltigung* ist die, daß ein Mann sich einer Frau bemächtigt und diese gegen ihren Willen zu sexuellen Handlungen zwingt. Billigerweise sollte hier nicht nur die brutal vollzogene Erzwingung des Geschlechtsverkehrs als Vergewaltigung angesehen werden, sondern auch die subtil durchgeführte Verführung, die darauf abhebt, daß eine Frau emotional stark ansprechbar wird und daß der Mann bei geschickter Vorbereitung fast alles erreicht. Ab einem gewissen Punkt sind Frauen gefühlsmäßig so biegsam, daß sie ihre ethischen Werte außer acht setzen. Der raffinierte Verführer vermag es, eine Frau im Glauben zu wiegen, er wolle gar nicht bis zum Letzten gehen und er wolle sie auch zu gar nichts Verwerflichem zwingen; es gehe ihm nur um ein paar nette Stunden in »lockerer« Atmosphäre. Die Frau verkennt aber meistens, daß dahinter ein raffiniert ausgeklügelter Plan steckt, der die einzelnen Phasen des inneren Widerstandes der Frau genau kennt und der – auf den Individualfall zugeschnitten – vorsieht, diesen Widerstand nicht zu *brechen,* sondern geschickt zu *umgehen.*

Die erotische Literatur gibt sowohl im Rahmen der Biographien »großer« Verführer als auch durch konkrete Ratschläge Hinweise darauf, wie man Frauen erfolgreich verführt. Es liegt auf der Hand, daß die Frauen hier nur als Mittel zum Zweck gesehen werden. Die galante Verführung stellt deshalb eine, wenngleich gesellschaftlich akzeptierte, Form der Vergewaltigung dar.

Inzest

Den Seelsorger schmerzt es besonders, wenn einem eine junge Frau von ihrem Trauma des sexuellen Mißbrauchs berichtet, die diese in jungen Jahren in der Familie erleiden mußte. Da mindestens 90 % aller Inzestfälle durch Väter, Großväter oder Onkel geschehen und die Familie nach außen zusammenhält, kommt die »Blutschande« fast nie zur Anzeige. Die Behörden werden meist nur eingeschaltet, wenn sich ein Fremder einem Kind genähert und es mißbraucht hat. Ist jedoch jemand aus der eigenen Familie der Übeltäter, so bleibt dieser oft unbehelligt, und das Opfer leidet weiter.

Die Fälle sind häufig, in denen nicht einmal die Mutter oder die Geschwister etwas davon ahnen, daß ein Mädchen durch den Vater mißbraucht wird. (Mißbrauch im Sinne des Inzests ist auch schon das Berühren an Brüsten und Genitalien, d.h. alles, was sexuelle Gefühle stimulieren und das Kind willfährig machen kann.)

Die inzestuös mißbrauchten Mädchen weisen oft eine tiefe Traurigkeit auf, ein Sich-Zurückziehen von den anderen, mangelnde Lebensfreude und Isolation innerhalb der Familie.

Vater und Mutter repräsentieren in einem gewissen Alter – aus der Sicht des Kindes – Allmacht, Güte und Umsicht Gottes. Am Vorbild ihrer Eltern lernen sie, wie sie in Gottes Allmacht Vertrauen haben können. Sie erfahren Gutes, Geborgenheit und Schutz. Liebevolle Eltern bereiten in dem Kind die Voraussetzung für eine stabile psychische Entwicklung vor. Der Vater wird zum Urbild des himmlischen Vaters. Versagt der irdische Vater, so wird es später schwer, ein positives Verhältnis zum himmlischen Vater zu finden.

Wer als Kind mißbraucht wurde, hat oft lebenslang Probleme, deren Manifestationen vielfältig sein können.
a) Man bleibt unverheiratet, aus Abscheu oder Angst vor Männern.
b) Man sehnt sich nach Geborgenheit, ohne ehefähig zu sein, weshalb Ehen nur kurz halten.

c) Die Frau hat Angst vor der Sexualität, da sie diese bei ihrem Vater als Instrument der Bedrohung und des Mißbrauchs erlebt hat. Sie wird frigide, anorgastisch und anderes mehr.

d) Der tief wurzelnde Haß auf den Vater führt dazu, daß sich die Frau immer wieder in Männerbekannschaften einläßt, mit dem Ziel, den Mann »anzumachen« und dann fallenzulassen. Auf diese Weise rächt sie sich stellvertretend an ihrem Vater, indem sie generalisiert und alle Männer mit dem Vater gleichsetzt. Das Geben bzw. Verweigern sowie das Abhängig-Machen eines Mannes sind Züge der Machtausübung seitens der Frau über den Mann. Diese Züge sind ihr nicht angeboren, sondern resultieren aus traumatischen Sexualerfahrungen, die sie als junges Mädchen erlitten hat.

Der Weg zur *Heilung* verläuft über ein Bewußtmachen der Ursachen und über die Vergebung. Wer dem Menschen vergeben kann, der einen für Jahre oder Jahrzehnte geschädigt hat, schneidet die bittere Wurzel ab, die die Entwicklung einer heilen Persönlichkeit beeinträchtigte. Der Heilungsprozeß kann Jahre dauern, bis an die Stelle des defekten Vaterbildes ein intaktes Bild Gottes bzw. des Mannes getreten ist, der sich nach Gottes Maßstäben verhalten möchte.

Sadomasochismus

Sadomasochisten treten nach außen kaum in Erscheinung. Der kriminologisch relevante Sadismus (sadistische Freude am Töten u.ä.) steht mit dem sexualpsychologischen Sadomasochismus nur indirekt in Verbindung.

Es gibt Menschen, bei denen eine sexuelle Stimulation am besten zustande kommt, wenn sie sich von jemandem beherrscht fühlen (Masochisten). Das hierzu erforderliche Gegenstück sind die Sadisten, die zur Erreichung sexueller Befriedigung der Machtausübung über einen anderen bedürfen. Es ist sehr häufig, daß sich ein Sadist und ein Masochist zu einer symbiotischen Lebensgemeinschaft zusammenfinden. Dies trifft durchaus auch für manche Ehen zu. Die Dulderrolle, die zahlreiche Frauen gegenüber einem gewalttätigen Mann einnehmen, kann ebenfalls als eine sadomasochistische Variante angesehen werden; nur fehlt hier die Auswirkung dieser Persönlichkeitsstrukturen in die geschlechtliche Beziehung hinein.

Die abnormen Bedürfnisse der Sadomasochisten sind in ihrer symbiotischen Beziehung abgedeckt, und es tritt keine Wirkung nach außen auf. Das Zufügen von Schmerz ist meist nur symbolisch und wird angedeutet, aber normalerweise nicht exzessiv vollzogen. Es handelt sich primär um ein Ritual, und nicht um einen Ausbruch von Gewalt. Da Satanismus und Schwarze Messen um sich greifen, gewinnen sadistische Handlungen jedoch eine immer größere kultische Bedeutung.

Ausbeutung der Frau

Peep-Shows, Prostitution, Zuhälterei und Mädchenhandel lassen die Frau als Sexualobjekt erscheinen, welches das Interesse der Sexgierigen weckt und welches sich auch exzellent vermarkten läßt. Die Frau wird zur Ware, zum Wegwerfgegenstand. Die »sanftere« Form ist das Fotografieren schöner Frauenkörper. Es sind Frauen, deren Schamgefühl und deren ethische Werte vom Geld abhängig sind. Dabei werden die Fotomodelle nach strengen Kriterien ausgewählt, weil die Zielgruppe eine ausschlaggebende Rolle spielt.

Derart vermarktete Modelle »erfreuen« die Sexualgier und Phantasie von Millionen. Auf dem Weg über das Aktfoto werden Jugend und ältere Generation durchseucht. Nacktheit und Lüsternheit werden als normal empfunden.

Die Auswirkungen bis in die ehelichen Beziehungen hinein verfremden Ehen und führen zu deren Scheitern. Die Ehepartner sind überfordert, wenn man an sie Maßstäbe von Dressmen und Fotomodellen anlegt. Eine Ehe ist in ihrer schöpfungsmäßigen Konzeption eben etwas anderes als bloß eine Sexualgemeinschaft zur Erzielung eines möglichst großen Lustgewinnes.

Gewalt in der Ehe

Das Spektrum der Gewalt in der Ehe ist breit. Es reicht von körperlichen Mißhandlungen über die »Erzwingung des Beischlafs« bis hin zu subtilen Formen der Stichelei, Herabwürdigung usw. Während physische Gewalt meist vom Manne ausgeht, bringt die Frau ihre »Waffe« des Sich-Verweigerns ins Spiel.

In einer gesunden Beziehung werden Konflikte kommunikativ gelöst und auf Ausübung von Gewalt verzichtet.

Sinn der Sexualität in der Ehe

Der schöpfungsgemäße Sinn der Sexualität ist ein doppelter. Sie dient einerseits der Fortpflanzung (1. Mose 1,28) und damit dem Erhalt des Menschengeschlechts. Andererseits weist sie tiefere als nur biologische Qualitäten auf. So wie der Mensch über die gesamte Schöpfung dadurch hinausgehoben ist, daß er als Ebenbild Gottes (1. Mose 1,27) erschaffen wurde, so hat auch die ihm verliehene Sexualität Kräfte in sich, die außerhalb des Biologischen sind.

Die menschliche Sexualität hat eine integrative Funktion. Sie vertieft und bereichert die schon bestehende Liebesbeziehung zwischen Mann und Frau und dient als ein exklusives Mittel der Kommunikation, nämlich in dem Sinne: was man im täglichen Umgang miteinander an Wertschätzung und Zuneigung ausdrückt und was man mit Worten und Gesten vermittelt, das erhält eine noch tiefere Bezeugung durch die Einheit der beiden Körper (1. Mose 2,24). Das Suchen der körperlichen Nähe des Ehepartners muß nicht bloß triebbedingt sein, sondern kann im Verlauf der Ehe mehr zur ersehnten Ausdrucksmöglichkeit des Inneren werden. Das heißt, die Sexualität erhält eine altruistische Komponente, indem es nicht primär darum geht, selber glücklich zu werden, sondern den Ehegefährten glücklich zu machen.

Ein so tiefes inneres Erleben bezeichnet die Bibel mit dem Begriff »erkennen« (z.B. 1. Mose 4,1 »Adam erkannte seine Frau Eva...«), während sie ansonsten – bei sexuellen Begegnungen minderer Ausdruckskraft – Begriffe wie »er wohnte ihr bei« oder »er schlief bei ihr« gebraucht.

Abtreibung

Die Abtreibung stellt eine besondere Art der Gewaltanwendung dar. Hier wird im Zusammenhang mit Sexualität nicht gegen den Sexualpartner, sondern gegen das »Produkt« der sexuellen Beziehung Gewalt ausgeübt. Es handelt sich um physische, vernichtende Gewalt, der die entsprechende Einstellung (Ablehnung, Todeswünsche) vorausgegangen ist. Tiefenpsychologisch korreliert mit der Abtreibung die Verneinung seiner selbst, d.h. die Frau lehnt sich in ihrer Existenz sowie in ihrer Rolle als Mutter ab.

Die Absicht, etwas ungeschehen machen zu wollen, mag eine Rolle dabei spielen. Diese belegt aber um so mehr, daß die in diesem Fall sexuell agierenden Menschen sich der Tragweite ihrer – göttlichen und gesellschaftlichen – Verantwortung nicht bewußt sind, d.h. daß sie sich reifemäßig auf einer kindlichen Stufe befinden und daß ihre Einschätzung der Sexualität primär hedonistisch ist.

Das Geschäft mit dem Kindersex

Es war an einem Augustmorgen, als ein Jugendarbeiter in einer Tagesstätte an der Lower East Side von Manhattan in New York auf einen weinenden Jungen mit einem süßen Engelsgesicht aufmerksam wurde. Er fragte, was ihm fehle und ob er Schmerzen habe. Der Junge nickte, und es stellte sich heraus, daß er aus Acapulco in Mexiko stammte. Dem Vater der großen, jedoch armen Familie war drei Wochen vorher von einem amerikanischen Besucher angeboten worden, den Jungen mit nach New York zu nehmen, ihm eine gute Erziehung zuteil werden zu lassen, ihm Englisch beizubringen und Arbeit zu vermitteln. Der Wink mit einem beträchtlichen Geldbetrag verdrängte die Bedenken des Vaters, und der Junge kam nach New York. Dort landete er in einem Viertel, das von der Polizei als »Drogensupermarkt der Welt« beschrieben wird. Der Amerikaner war ein Homosexueller, in dessen Sklaverei der Junge fortan geriet – bis er in der Tagesstätte der DCI (Defense for Children International) auftauchte und sein Schicksal erzählte. Die DCI ist eine Gruppe der Internationalen Kinderschutzorganisation, die ihren Sitz in Genf hat. Sie wurde 1979 im Internationalen Jahr des Kindes gegründet und hat sich den Schutz der Rechte der Kinder in aller Welt zur Aufgabe gemacht, in Konsequenz der Erklärung der Rechte der Kinder durch die UNO aus dem Jahre 1959. Ihr gehören hauptsächlich Sozialarbeiter, Erzieher, Kinderärzte, Polizeibeamte, Rechtsanwälte sowie engagierte und interessierte Laien an.

In zunehmendem Maße stößt die DCI auf die verbreiteten Formen des Kinderhandels, der Kinderprostitution und der Kinderpornographie. So ergaben Erkundigungen der DCI, daß der Amerikaner im Sommer vorher einen gleichaltrigen Jungen aus Mexiko, im Jahr davor einen aus der Dominikanischen Republik mitgebracht hatte. Die beiden Kinder wurden nie mehr aufgefunden. Häufig werden beim sexuellen Mißbrauch dieser Kinder Fotos angefertigt und vertrieben. Es handelt sich um eine enge Verknüpfung dieses wachsenden Geschäftszweiges von Kinderhandel und Kindermißbrauch, insbesondere durch Homosexuelle, Kinderpornographie und Kinderprostitution.

Eine im Jahr 1982 von der UNICEF in Auftrag gegebene Untersuchung erbrachte unter anderem, daß auch der Sex-Tourismus aus den Niederlanden, der Bundesrepublik Deutschland, Japan und den USA in fernöstliche Länder (vor allem Sri Lanka, Thailand und die Philippinen) diesen lukrativen Zweig entwickelt und ausbaut. Eine Zeitschrift mit dem Namen »Spartacus« und eine Reisegesellschaft »Ero-Tours« sowie andere Zeitschriften und Reiseunternehmen haben sich dieser kriminellen Zielsetzung verschrieben. Allein in Bangkok (Thailand) gibt es Tausende von Strichjungen, die sich als »Masseure« ausgeben; in Colombo (Sri Lanka) sollen es mindestens 2.000 Jungen sein. In Europa, und zwar in Amsterdam, werden Kinder sogar gehandelt und versteigert, wobei An- und Verkauf der Kinder anhand von Fotos erfolgt, wie aus einem Bericht auf der Generalversammlung beim Internationalen Kongreß gegen Mißbrauch und Vernachlässigung von Kindern in Montreal (Kanada) im September 1984 hervorgeht.

Der Umsatz im Kinderhandel wird auf fünf Milliarden Dollar geschätzt – getätigt durch eine internationale Verbrecherorganisation, die keine Hemmungen, keine Landesgrenzen und bis heute keine wirksamen Kontrollen kennt und fürchtet. Oft findet der »Versand« solcher Kinder unter der Vorgabe von Jugenderholung und Jugendaustausch statt. Wahrscheinlich werden solche Scheinorganisationen nicht selten durch Spenden und Subventionen gefördert. So erhielt die DCI im Jahre 1983 einen Bericht, wonach eine australische Gruppe eines internationalen Sex-Syndikats in Melbourne Jungen auf den Philippinen für obszöne Fotos sexuell mißbrauchte und die Aufnahme von perversen Beziehungen vermittelte. Einige der betroffenen Kinder wurden zu unerlaubten Zwecken nach Australien gebracht, und zwar unter dem Deckmantel der Vermittlung ausländischer Pflegeeltern.

Das Haupthindernis einer wirksamen Bekämpfung dieser Mißstände scheint die Verbreitung pädophiler Interessen in aller Welt zu sein. Sie führen zu gut getarnten Vertriebswegen, zu Beschwichtigung und Bestechung von Dienststellen und zur Finanzierung der entsprechenden Transaktionen. Pädophile verfügen weltweit über ein großes, gut organisiertes und sortiertes Angebot an obszönem Material. Sie bekommen jederzeit Zugang zu ungeschützten Kindern im In- und Ausland und sind bereit, dafür ungeheure Summen zu zahlen. Verstärkt wird diese Branche durch elektronische Medien, durch Filme und Videos, die es erlauben, die Handelsobjekte zu zeigen und sexuelle Handlungen zu multiplizieren und zu verbreiten. Auch hier, wie auf anderen Gebieten der Pornographie, nehmen die sadistischen, masochistischen und sadomasochistischen Formen der Zurschaustellung zu.

Dieser Tatbestand ist nun aber nicht so weit weg, daß er uns nur von ferne – wie die übrigen Probleme der dritten Welt – zu berühren bräuchte: Das Geschäft mit dem Kindersex geschieht nämlich weitgehend zugunsten nordamerikanischer und europäischer Auftraggeber, darunter solcher aus der Bundesrepublik Deutschland, von der aus auch Gesellschaftsfahrten gestartet werden. Es gibt »Arbeitskreise Päderastie« mit geheimen Rundbriefen und Decknamen, Zeitschriften der Pädo-Bewegung und diverse Publikationen einschlägiger Verlage. Nicht zu erfassen ist die enorme Dunkelziffer des nicht oder verdeckt organisierten Verbrechens, z.b. die ganz private Beziehung im freundschaftlichen oder gar familiären Umfeld. Die Kinderhilfsorganisation der Vereinten Nationen, UNICEF, schätzt, daß in aller Welt jährlich zwei Millionen Kinder beiderlei Geschlechts sexuell mißbraucht und ausgebeutet werden – nicht eingerechnet den Mißbrauch in der Familie.

Was geht in Männern vor, die hohen Risiko- und Geldeinsatz nicht scheuen, um sich an einem Kind vergreifen und amüsieren zu können? Es sind vor allem zwei seelische Erscheinungen, die dafür verantwortlich zu machen sind: zum einen der Überdruß an »normalem« Sex, der heute überall leicht zugänglich ist und das Bedürfnis nach prickelndem Abenteuer nicht mehr hinreichend befriedigt. Schon seit über dreißig Jahren hält die Welle sexueller »Liberalisierung« an, die nahezu keine Abart sexuellen Auslebens mehr ausnimmt und deren Markt durch die entsprechenden Institutionen und Industrien überreich bedient wird. Erst an den Grenzen des Verbotenen fängt für manche Männer der Spaß wieder an, und so begeben sie sich auf die schlüpfrigen Bahnen eines nicht nur gefährlichen, sondern auch schändlichen und schrecklichen Geschäftszweiges.

Der zweite Grund ist, daß viele Männer nur bei Kindern ihr volles Selbstwertgefühl und entsprechende sexuelle Reaktionen erreichen. Häufig bei erwachsenen Frauen impotent, erleben sie bei Kindern ihre Erfüllung. Sie sind unreif geblieben, ja in der Seele selbst noch ein Kind, und können deswegen den Anspruch auf Partnerschaft oder eventuelle Herausforderungen oder gar Herabsetzungen durch erwachsene Frauen nicht aushalten. Männer mit schwachem Selbstbewußtsein und labiler sexueller Potenz fühlen sich oft nur Kindern gegenüber sicher und stark.

Was geht in einem Kind vor, das sich als sexuelles Objekt eines Erwachsenen begehrt und mißbraucht sieht? Gewöhnlich wird es unfähig für die normale Liebe zwischen Partnern. Es bekommt entweder eine Abscheu vor allem Sexuellen überhaupt, im besonderen gegen Männer, oder es gewöhnt sich an eben diese Variante des Sex und versteht mit der Zeit, daraus Vorteile zu ziehen. So kommt es zu der ebenfalls in wachsendem Maße verbreiteten Kinderprostitution, wobei raffinierte kleine Geschöpfe den entsprechend abhängigen Erwachsenen das Geld aus der Tasche zu ziehen verstehen. Wie es in der Seele des Kindes aussieht, das schon früh lernt, daß Sex ein Geschäft und ein Erwerbszweig sein kann, ist kaum vorstellbar.

Schlimmer noch sind psychophysische Mißbrauchsfolgen wie Abhängigkeit, Unterdrückung bis zum Sklavenhandel, Ausnutzung der Wehrlosigkeit und jenes namenlose Leid, das in vollem Umfang nie bekannt werden wird, schon weil die Kinder sich in einem Zustand befinden, der sie weder klagen noch aufbegehren, weder protestieren noch prozessieren läßt, sofern sich nicht Kinderschutzorganisationen ihrer annehmen.

Es macht keinen Unterschied, ob es sich hier um weibliche oder männliche Opfer handelt: beide sind Kinder und verdienen daher den besonderen Schutz einer rechtsstaatlichen Ordnung. Um so unbegreiflicher erscheint es, wenn immer wieder von Bestrebungen zu lesen und zu hören ist, nach denen dieser Schutz abgeschafft werden soll, Sexualität mit Kindern als normal und der § 175, der den gleichgeschlechtlichen Mißbrauch von Kindern verbietet und bestraft, als veraltet und zu beseitigen hingestellt wird. Entweder ist den Initiatoren nicht klar, daß sie hiermit die Verbrechen an Kindern begünstigen, oder sie nehmen diese Folgen bewußt in Kauf, um die Grenzen des Vergnügens auszuweiten und die Legalitätsschranke samt den Eckpfosten unserer Sexualmoral weiter hinauszuschieben – was nur dazu führen kann, daß abartige Menschen auf der Suche nach Abenteuern am Rande der Legalität diese Grenzen nur noch weiter stecken und nach den nächsten Grenzüberschreitungen Ausschau halten, nämlich nach Sexmessen und Hexenkulten und anderen Grenzphänomenen.

Entgleiste Sexualität und Vergebung

Die menschlichen Konflikte sind so vielseitig, daß ich hier nur an knappen Beispielen die Vielfalt sexueller Verirrungen andeuten kann. Sehr oft sind es Partnerschaftsprobleme und Fehlentwicklungen auf zwischenmenschlicher Ebene, die intime Nöte verursachen. Die möglichen Erkenntnisse und eventuellen Konsequenzen sind meist ohne psychologische Erklärungen ablesbar. »Ich bin eine junge Architektin und habe zwei Kinder. Von meinem Mann wurde ich laufend betrogen. Das brachte die Scheidung. Ich bin großzügig, kameradschaftlich. Vielleicht entwikkelte sich deshalb bei mir die Männertollheit. Diese zeigt sich in einem Verhältnis nach dem anderen. Immer endet alles negativ – auch mit dem letzten Partner, mit dem keine Heirat zustande kam. Ich suchte dann Trost beim nächsten Freund. Jeweils nach kurzer Zeit hatte ich mit völliger Selbstverständlichkeit intime Kontakte und merkte, daß sich die Beziehung im Grunde nur auf das Sexuelle beschränkte. Alles war nur oberflächlich. Meine Persönlichkeitswerte hatte ich um den Preis der Bindungslosigkeit, die ich für Freiheit hielt, verkauft und verloren.«

Ein Verhängnis ist oft auch der gravierende Altersunterschied. Spätere Konflikte sind kaum abschätzbar, wenn ein Ehepartner fünfzehn bis zwanzig Jahre älter ist. Eine Ehefrau kam in ihrer Familie nicht zurecht und hatte ihrem Mann gegenüber stets Probleme. Als Fünfzehnjährige war sie von einem dreißig Jahre älteren Mann verführt und in raffinierter Weise in den Bereich der Sexualität eingeführt worden. Daraus entwickelte sich für sie eine totale Hörigkeit. Immer wieder gab es Begegnungen mit ihm, auch während der Zeit der Ehe und Familiengründung. Dabei zerbrach die seelische Harmonie mit dem Ehemann. Inzwischen war sie zweimal geschieden. Obwohl zum zweiten Mal verheiratet, trifft sie immer noch ihren inzwischen hochbetagten ersten Partner und gibt sich ihm in sexueller Abhängigkeit hin. Sie wird den Komplex des großväterlichen Liebespartners nicht los. Nicht selten sind es ältere Ehemänner, die ahnungslose Mädchen zu einem ungewissen Schicksal verführen.

Was in den Großstädten so gut wie unbekannt ist, wird in ländlichen Gegenden noch zur intimen Not: der Umgang mit Tieren

(Sodomie).»Ich weiß, daß das unsauber und schlecht ist. Ich beichte Ihnen diese Sünde. Es tut mir wirklich leid. Innerlich komme ich mir auch schmutzig vor. Aber ich habe mich an unseren Tieren im Stall abreagiert. Ich verfluche den Lehrer, der uns in der Schule sagte, daß man das ruhig tun könne. Er hatte sogar ein Unterrichtsbuch, in dem die Information gegeben wurde, daß man seinen Geschlechtstrieb bei Tieren befriedigen kann, wenn man das Tier dabei nicht quält. Aber das kann kein guter Rat gewesen sein. Er macht mich tiefunglücklich und beschämt mich. Dabei habe ich eine gute Ehefrau und eine glückliche Familie. Meine Kinder müßten mich verachten. Aber immer wieder gehe ich zu dem Zweck in dunkle Ecken. Wie kann das nur anders werden?«

Zur seelischen Selbstzerstörung kann es kommen, wenn Menschen davon besessen sind, ihren Körper in erregtem Zustand zur Schau zu stellen, desgleichen, Liebespaare und Eheleute heimlich beim Sexualkontakt zu beobachten. Es gibt aber auch Personen, die bewußt heikle sexuelle Szenen herbeiführen und sich dabei im erleuchteten Zimmer sehen lassen. Hier handelt es sich um zwanghaftes Handeln, das meist mit tiefer innerer Bedrücktheit endet.

Eltern möchte ich um ihrer Kinder willen darauf aufmerksam machen, daß es nicht immer harmlos ist, wenn Brüderchen und Schwesterchen Doktor spielen. Kein Aufhebens sollte man davon machen, wenn vom Spieltrieb her oder aus gewisser Neugierde vorübergehend derartiges geschieht. Wenn aber über längere Zeiträume hinweg solche Praktiken durchgeführt werden, besteht die Gefahr, daß sich seelische und sexuelle Abhängigkeiten entwickeln, die womöglich eheunfähig machen können.

Verschwiegen, aber weiter verbreitet als man ahnt, ist das Problem der Päderastie.»Es ist mir furchtbar. Ich leide entsetzlich darunter«, bekennt ein jüngerer Mann.»Immer wieder verführe ich Jungen zu sexuellen Spielen. Ich zeige ihnen alle Praktiken. Sie machen meist zögernd mit. Zunächst waren es drei Jungen, jetzt sind es sieben, demnächst werden es wesentlich mehr sein. Was mache ich nur? Ich weiß, daß das strafbar ist. Ich leide ja auch darunter. Dennoch schaffe ich es nicht, davon freizukommen. Es ist eine entsetzliche Sucht. Dabei hätte ich im Grunde auch gerne ein Mädchen. Aber ich bin so gehemmt und verschüchtert, daß ich nie den rechten Kontakt zu Mädchen bekomme. So klappt es wenigsten mit Knaben. Ich weiß, daß das eine entsetzliche Ersatzhandlung ist. Kann Jesus mir helfen?«

Das Fernsehen ist aus unserem Leben kaum noch fortzudenken. Es bringt Informationen, die für uns alle wichtig sind. Wie ansprechend werden auch einige Unterhaltungssendungen gestaltet und verkürzen manch einem Kranken und Betagten die langen Abende. Aber es kommen zahllose Briefe besonders von jungen Männern auf meinen Schreibtisch, die erotische Szenen und Darstellungen in Sendungen des Fernsehens nicht verkraften können und durch die eine oder andere offene Darstellung in Triebnöte geraten. Sie vermögen dann ihren körperlichen Drang nicht mehr zu beherrschen. Müssen Sendungen so sein? Können wir das verantworten? Hat die Gesellschaft noch ein Ohr dafür, haben die Fernsehmacher eine verantwortliche Einstellung? Mir persönlich würden diese Sendungen nicht besonders auffallen, wenn nicht diese Briefe ein Zeugnis dafür wären, daß man nicht alles im Fernsehen zeigen und auf Bühnen aufführen sollte, wozu man vom Film und von der Technik her in der Lage ist. Bei jungen Menschen kann durch den Bildschirm Seelisches zerbrechen, das noch der charakterlichen Reifung bedarf.

Die Nähe zum Aberglauben und zum Okkultismus hält ebenfalls Menschen gefangen. Ein junges Mädchen trug seit Jahren eine dünne Kette um die Hüfte mit einem Amulett. Es war ein Talisman, der von irgendeinem Magier geweiht sein sollte. Das Mädchen stand im Bann dieses Hüftschmuckes, den es auf der bloßen Haut trug. Als es früher einmal nervenkrank war, hatte man ihm diesen magischen Schmuck als Heilmittel gegeben. Wurde es dadurch gesund? Brachte er ihm Glück oder Unglück? Hier machen sich die Menschen zu Knechten des Aberglaubens; mit wirklichem Glauben hat das nichts zu tun. Solch eine Ersatzreligion soll Liebesbeziehungen begünstigen, Partnerschaft anbahnen, Mutterschaft fördern, besondere Glücksgefühle in der Liebe hervorrufen und vor Unglück schützen. Tatsache ist aber, daß solche Menschen in den Bann der Angst geraten. Sie ziehen sich seelische Krankheiten zu und leiden unter den verschiedensten Störungen. Dennoch soll es in einigen Großstädten der Bundesrepublik mehr Okkultisten geben als Christen in den Kirchen.

Ist Deutschland in dieser Hinsicht ein primitives Land geworden? Oder ist es nur ein Geschäft ohne Grenzen: nackte Haut und falscher Glaube? Es gibt moderne Jugendsekten und abstruse Religionszirkel, die Religion und Sexualität zu vermischen wissen. Junge Menschen sind nicht selten durch das Wort »Liebe« verführt worden. Das sind dunkle und gefährliche Wege zu

49

scheinbarem Heil. Man schätzt die religionskranken Menschen unserer Zeit auf Millionen. Manch eine »Geistesoffenbarung« ist nur eine Erscheinung des kranken Gemüts. Haben wir es mit Lebensangst zu tun, mit unverstandener Körperlichkeit, mit nicht bewältigter Sexualität? Die Nöte unseres Lebens können ungeahnte Formen und Ausmaße annehmen.

Gibt es eine Lösung, eine Erlösung? Mit der Verkündigung des Evangeliums ist uns ein Wort gegeben: das Wort von der Vergebung. Nur die Versöhnung mit Gott, nur die Vergebung durch unseren Herrn Jesus Christus zerbricht die Ketten des Unheils im Leben der Menschen. Sonst bleibt der Mensch in seinen seelischen Konflikten allein und hilflos in der Vereinsamung seiner Schuld. Der Ansturm auf die Sprechstunden der Psychotherapeuten muß uns nachdenklich machen.

Das Seelsorgegespräch aufgrund biblischer Verkündigung ist die entscheidende Hilfe. Es gründet sich auf die Anrede Gottes an den Menschen, der ihn beim Namen ruft und ihn seiner ursprünglichen Bestimmung und seinem Heil zuführen möchte. Des Menschen Sein in Vergangenheit und Gegenwart wird in seinen Abgründen vor Gott enthüllt, aber auch durch Wahrheit und Aufrichtigkeit hindurch der Vergebung zugeführt. In höchstem Maße muß darum die seelsorgerliche Begegnung bemüht sein, die Wahrheit zu suchen und in Liebe die Kette des Unheils zu durchbrechen. Was sich an der Oberfläche des persönlichen Erlebens verdeutlicht, reicht oft in die Tiefe der Existenz und der Seele hinab.

Der Weg des Menschen geht durch Schuld. Er ist das einzige Wesen, das religiös und sittlich schuldig werden kann, wenn es seine Verantwortung und seine Bestimmung verfehlt. Die ganze Geschichte der Menschheit ist die Geschichte ihrer Schuld. Wer davon nichts weiß, der weiß auch nichts vom Leben, von der Welt, vom Menschen, noch davon, wie jeder Mensch an jedem Menschen ständig schuldig wird. Man müßte mit Sicherheit verzweifeln, wenn man nicht auch von etwas anderem wüßte, nämlich von Gnade und Vergebung, von einem Gott, der Sündern gnädig ist.

Es ist den Menschen versagt, durch eigenes ehrenwertes Mühen und Bestreben der Gottesferne zu entfliehen. Die Versuche, aus eigener Kraft das Heil zu finden, die Konflikte zu lösen und das Elend hinter sich zu lassen, sind sicher beachtlich. Aber Gott hat einen anderen Weg zum Heil beschlossen. Gott sagt ja zum hoffnungslos verzweifelten Menschen: »Das Opfer, das Gott gefällt, ist ein geängsteter Geist; ein zerschlagenes Herz wirst du, Gott, nicht verachten« (Psalm 51). Von daher ist Gott ein Gott der Verzweifelten und Konfliktbeladenen, der Verwirrten und Entwurzelten, der Verstörten und Lästigen, der Entgleisten und Minderwertigen; ein Gott auch derer, die vielleicht vor Menschen noch makellos bleiben konnten, vor Gott aber schuldig wurden. – Ja, das ist Gott: unbegreiflich gütig; voll Freude über das Finden des Verlorenen; gnädig dem Schuldigen.

Homosexualität aus der Sicht des Alten und Neuen Testaments

Jede aus christlicher Sicht geführte Diskussion über die Homosexualität berührt automatisch drei wichtige biblische Lehrbereiche: Vor allem einmal die *Sexualethik*, die für unsere Untersuchung von besonderer Bedeutung ist; genauso wichtig aber ist auch die *Schöpfungslehre*; und über beidem schließlich steht die *Liebe*, in der Christus die gesamte Ethik des Alten Testaments zusammenfaßte.

Homosexualität im Licht der Sexualethik

Die traditionelle christliche Einstellung zur Sexualität wird immer noch gebrandmarkt. Die ganze Aufmerksamkeit konzentriere sich bei Christen darauf, Kinder zu zeugen. Das außerordentliche Vergnügen, das diesen Vorgang begleite, umgebe man indes mit dem Schleier sittsamer Prüderie.

In manchen christlichen Kreisen begegnet man tatsächlich der Auffassung, Gott habe mit dem Vergnügen lediglich einen Anreiz zum Geschlechtsverkehr geben wollen, um so den Fortbestand der Rasse zu gewährleisten; nur auf das Vergnügen aus zu sein, ohne zeugen zu wollen, sei schon fast verachtenswert und unter der Würde eines Christen. Diese Ansicht ist eine groteske Mißdeutung biblischer Aussagen. An manchen Stellen pulsiert die Schrift gleichsam vor Freude an den körperlichen Intimitäten zwischen Mann und Frau. »Freue dich des Weibes deiner Jugend«, rät das Buch der Sprüche und weiter: »Laß dich von ihrer Anmut allezeit sättigen und ergötze dich allewege an ihrer Liebe« (Sprüche 5,18−19). Und Paulus, der keineswegs ein Frauenhasser war, distanziert sich öffentlich von den »Lügenrednern, die ein Brandmal in ihrem Gewissen haben. Sie gebieten, nicht zu heiraten... Denn alles, was Gott geschaffen hat, ist gut, und nichts ist verwerflich, was mit Danksagung empfangen wird« (1. Timotheus 4,2−4).

Die Heilige Schrift stellt sich durchweg positiv zur Sexualität, und es überrascht nicht, daß die Väter des Kanons die *Apostelgeschichte des Johannes* − ein pseudo-christliches Dokument, das den Geschlechtsverkehr als »Experiment der Schlange« bezeichnet − zu den Apokryphen zählen.

Dennoch läßt sich nicht leugnen, daß es in der Geschichte der Kirche immer wieder einflußreiche Lehrer gegeben hat, die die Bedeutung der körperlichen Liebe herabsetzten. Insbesondere die mittelalterliche Kirche war besessen von der selbstauferlegten Pflicht, sexuelle Intimitäten auf ein Mindestmaß zu begrenzen. Mit Befremdung lesen wir heute die Handbücher alter Bekenner, in denen diese detailliert vorschrieben, in welchen Stellungen verheiratete Paare den Geschlechtsverkehr genießen dürfen und in welchen nicht.

Tatsächlich sehen heute nur sehr wenige Christen in solchen Schriften verbindliche Richtlinien; aber die Narbe, die in der Vergangenheit geschlagen wurde, ist immer noch nicht ganz verheilt. Wir können dankbar sein, daß heute eine unverkrampftere Haltung gegenüber den Freuden der Sexualität vorherrscht. Und sei es nur deshalb, weil sie eine Rückkehr zu den sehr bejahenden Aussagen der Bibel kennzeichnet.

Wir haben heute entdeckt, daß die Bibel die Sexualität als ein Mittel preist zur Stabilisierung und Vertiefung der Liebe, die ein verheiratetes Paar füreinander empfinden sollte. Diese Wiederentdeckung verlangt von uns viel Mut bei der Beantwortung von Fragen in bezug auf körperliche Intimitäten. Manche von ihnen sind heute – so intim sie für das einzelne Paar auch sein mögen – solche Allgemeinplätze, daß sich über eine Veröffentlichung der Einzelheiten niemand entrüsten würde. Andere hingegen schokkieren uns immer noch. Warum nur? Mit welchem Recht können wir einen sexuellen Akt, der in beiderseitigem Einverständnis geschieht, für falsch erklären, wenn dieser die Liebe und Achtung der beiden Partner füreinander mehrt?

Die Konsequenzen im Blick auf die Homosexualität sind nicht zu übersehen. Nichts von dem, was ein gleichgeschlechtliches Paar tut, ist nur Menschen mit homosexueller Veranlagung eigen. Jede einzelne ihrer Intimitäten können von verheirateten heterosexuellen Paaren ebenso praktiziert werden. Selbst der Analverkehr ist einigen Heterosexuellen nicht fremd. Zwar lehnt die Mehrheit der verheirateten Paare solche Liebesbezeugungen wahrscheinlich ab, aber eben nicht alle. Deshalb läßt sich eine Verurteilung der Homosexuellen *nur aufgrund dessen, was sie körperlich miteinander tun*, ethisch kaum begründen.

Wer jedoch argumentiert, daß die Homosexualität zwischen den *partnerschaftlichen* Aspekt des Geschlechtsverkehrs und den der *Zeugung* einen Keil treibe, der befindet sich mit seinem Urteil ethisch und theologisch auf festerem Boden. Wie sehr auch die neuerliche Bestätigung der Sexualität als stabilisierender Faktor für eine Beziehung begrüßt wird, so wenig scheint es die christliche Lehre zu gestatten, den partnerschaftlichen Aspekt der Sexualität von dem der Zeugung zu trennen. Beide scheinen nach dem Plan Gottes gleichrangig. Homosexuelle Paare müssen diese Trennung zwangsläufig vollziehen. Deshalb, so folgern viele Christen, kann das, was sie miteinander tun, nicht gutgeheißen werden. Unter Berufung auf Thomas von Aquin hält besonders die katholische Kirche an der Untrennbarkeit fest. Die Konsequenzen auf die Homosexualität sind eindeutig. Thomas von Aquin formuliert sie so: »Jeder homosexuelle Akt unter Männern ist gegen die Natur und widerspricht der rechten Vernunft, denn dabei sucht der Mensch sich in einer Weise geschlechtlich zu befriedigen, die die Möglichkeit der Fortpflanzung zwangsläufig ausschließt.«

Einflußreiche protestantische Gelehrte haben einen anderen Weg eingeschlagen. Sie erkennen zwar an, wie wichtig es ist, Kinder zu haben, und beharren darauf, daß der einzig richtige Ort für den Geschlechtsverkehr die Ehe sei, aber für sie sind der Partnerschafts- und der Zeugungsaspekt nicht zwei Dinge, die Gott untrennbar miteinander verbunden hat.

Im Blick auf die Ehe ergab sich daraus im Widerspruch zur römisch-katholischen Position, daß der Gebrauch von Verhütungsmittel erlaubt sei. Was das für die Homosexualität bedeutet, wird selten klar ausgesprochen: Ist es aus christlicher Sicht nämlich erlaubt, den Geschlechtsverkehr zur Stabilisierung und Vertiefung einer Beziehung zu benutzen, ohne das Risiko einer Empfängnis eingehen zu müssen, dann fällt es schwer, die körperlichen Liebesbeweise der Homosexuellen nur deshalb zu verurteilen, weil in ihrem Fall die Fortpflanzung unmöglich ist.

Diese gegensätzlichen Standpunkte können sich beide auf die ersten zwei Kapitel der Genesis stützen. Die Katholiken kommen, indem sie beide Schöpfungsberichte zusammennehmen, zu dem Schluß, daß die doppelte Bedeutung, die Gott dem Geschlechtsverkehr gegeben hat, nämlich die der Zeugung (1,27–28) und die der Vertiefung der Beziehung (2,24), unteilbar sei. Die Protestanten ihrerseits weisen darauf hin, daß in keinem der Berichte die beiden Bedeutungen in besonderer Weise miteinander verbunden seien; und gerade Genesis 2,24, wo die Partnerschaft betont wird , gelte als Vorlage für die Ehe im Neuen Testament. Wenn wir die protestantische Position gelten lassen, gibt es jedoch keinen überzeugenden theologischen Grund dafür, die Homosexuellen *nur aufgrund dessen zu verurteilen, was sie körperlich miteinander tun.*

Homosexulität contra Schöpfungsbericht?

Hier müssen wir uns den neutestamentlichen Aussagen zur Homosexualität zuwenden, auch wenn sie dem Leser dürftig vorkommen sollten. Jede biblische Aussage steht neben dem *historischen* auch in einem *theologischen* Zusammenhang. Die Briefe des Apostels Paulus werden in ihrem historischen Kontext gedeutet. Denn die Gefahren, denen man sich aussetzt, wenn man eine biblische Ethik entwickelt, machen dies erforderlich. Um den Worten des Paulus gerecht zu werden, ist es aber unerläßlich, das theologische Umfeld zu erforschen, in das er seine Aussagen über die Homosexualität eingebaut hat.

Der theologische Kontext in Römer 1 ist die *Schöpfung*. Nachdem er in den Versen 16–18 sein Thema formuliert hat, die Herrlichkeit des Evangeliums im Gegensatz zur menschlichen Sünde, die das Urteil Gottes nach sich zieht, äußert sich Paulus über die schreckliche Verfassung der Menschheit.

Der Mensch ist zur Ehre Gottes erschaffen, aber er hat die »Herrlichkeit des unvergänglichen Gottes« verwandelt in das Bild verweslicher Ersatzgötter (Verse 19-23). Dieser schlechte Tausch führte auch zum moralischen Zusammenbruch (Verse 26-27); und um nur eine Folge der Verdrehung der Wertmaßstäbe zu nennen, greift Paulus noch einmal auf den Begriff des Verwandelns zurück – »denn ihre Frauen haben den natürlichen Umgang in den unnatürlichen verwandelt; desgleichen auch die Männer...«

Mit den Worten »unnatürlicher Umgang« bezieht sich Paulus nicht auf einzelne Männer und Frauen, *wie sie sind*. Sein Blick geht weiter. Er verweist ganz radikal auf den Mann und die Frau, *wie* Gott *sie geschaffen hat*. Mit *unnatürlich* meint er, »unnatürlich für die Menschheit der Schöpfungsordnung Gottes«. Und seinem Verständnis nach ist diese Ordnung eindeutig heterosexuell. Das »Verwandeln«, an das er denkt, ist mehr als der von Launen diktierte Geschlechtertausch eines nach neuer Stimulation suchenden Perversen. Es ist die durch *jede* homosexuelle Verhaltensweise geschehende Abweichung vom Schöpfungsplan Gottes. Vor dem Hintergrund der Schöpfungsordnung ist jeder homosexuelle Umgang ein »unnatürlicher Umgang«.

Aufgrund dieser Verse im Römerbrief muß sich ein Christ gegen Kinsey zur Wehr setzen, als dieser behauptete, Homosexualität sei seit Urzeiten ein wichtiger Bestandteil menschlicher sexueller Betätigung und Ausdruck gewisser Urfähigkeiten des menschlichen Tieres gewesen.

Wenn wir erst einmal erkannt haben, daß Römer 1 im Zusammenhang mit der Schöpfung zu sehen ist, dann gewinnt der theologische Kontext der beiden anderen neutestamentlichen Stellen Bedeutung.

In 1. Timotheus 1 ist der Kontext eine Neufassung der Zehn Gebote. Paulus erläutert, welchen Stellenwert die Gesetze der Moral, insbesondere der Dekalog*, im Leben eines Christen einnehmen. Er zitiert die Gebote nicht wörtlich, aber die alttestamentliche Wortwahl schimmert gleichsam unter der Oberfläche durch. Die ersten vier Begriffe, die er wählt, stehen für falsche Verhaltensweisen gegenüber Gott. Sie sind Kurzfassungen der ersten vier Gebote. Mit den »Gottlosen und Sündern« in Vers 9 sind die gemeint, die Gott nicht ehren und sich ihm bewußt widersetzen; mit den »Unheiligen und Ungeistlichen« die, die nichts für heilig erachten, weder den Namen noch den Tag des Herrn.

Darauf folgt die Bemerkung über die »Vater- und Muttermörder«, das Gegenteil von »Vater und Mutter ehren« – fünftes Gebot, und über die »Mörder«, (»du sollst nicht töten«) – sechstes Gebot. Das Wort »Menschenhändler« (Vers 10) stellt eine interessante Parallele zum achten Gebot her, »du sollst nicht stehlen«, denn es gab in Ephesus einen blühenden Schwarzhandel mit entführten Sklaven. Deutlicher ist der Zusammenhang zwischen dem neunten Gebot und den Begriffen »Lügner« und »Meineidige«. Die letzten Worte in der Aufzählung (»und wenn noch etwas anderes der rechten Lehre zuwider ist...«) scheinen sich an das zehnte Gebot über die Habsucht anzulehnen.

In der Mitte dieser interessanten Aufzählung finden wir den Hinweis auf die »Unzüchtigen« und »Knabenschänder«. Beides sind Menschen, die sich außerehelichem Geschlechtsverkehr hingeben, heterosexuellem oder homosexuellem. Es liegt nahe, darin eine Deutung des siebten Gebotes zu sehen. Daraus ergibt sich,

---

* Die Zehn Gebote

daß homosexuelles Verhalten ebenso von den Forderungen der Zehn Gebote betroffen ist wie heterosexueller Ehebruch.

Das eigentlich Bedeutsame jedoch ist, daß die Homosexualität überhaupt in eine Auslegung der Zehn Gebote einbezogen wird, besonders angesichts von Römer 1. Nachweislich ist der Dekalog theologisch und ethisch tief in der Schöpfungslehre der Genesis verwurzelt. Mit anderen Worten: Der Dekalog fordert Männer und Frauen auf, ein Leben in dem Stil zu führen, den der Schöpfer für seine Schöpfung beabsichtigt hat. Und in diesem Schöpfungsplan haben homosexuelle Praktiken, wie Paulus in seinem Brief an die Römer dargelegt hat, keinen Raum. Es mag sein, daß der Apostel bei der Abfassung des ersten Timotheusbriefes vor allem an die promiskuitiven* Perversen in Ephesus dachte. Der theologische Zusammenhang aber, in den er diesen Teil seiner Lehre stellt, umschließt die gesamte Menschheit und jegliches homosexuelle Verhalten.

In 1. Korinther 6,9 stoßen wir erneut auf die Begriffe »Unzüchtige« und »Knabenschänder«, verstärkt durch eine weitere Bezeichnung für Homosexuelle und einen ausdrücklichen Hinweis auf Ehebrecher. Der theologische Kontext ist hier jedoch ein anderer. Paulus schreibt über Menschen, die vom Reich Gottes ausgeschlossen sein werden. Seine Hauptsorge gilt hier ohne Zweifel der korinthischen Vorliebe für flüchtige sexuelle Erlebnisse. Doch die Tatsache, daß er seine Worte in den gedanklichen Rahmen vom Reich Gottes stellt, verleiht ihnen eine viel größere Bedeutung.

Gottes Reich ist kein Hoheitsgebiet, sondern ein Zustand, in dem seine Herrschaft anerkannt wird; sein Reich beginnt dort, wo sein Wille getan wird. Mit anderen Worten: Es kann, theologisch gesehen, von Gottes Schöpfungsplan (als sein Wille getan *wurde*) eine gerade Linie bis zu seinem Reich gezogen werden (wo sein Wille getan *werden wird*). Und im Reich Gottes, so sagt Paulus, ist kein Raum für homosexuelles Verhalten. Erneut müssen wir uns stellen, aber nicht einem spontanen Rat für eine längst vergessene christliche Gemeinde mit ihren besonderen Problemen, sondern einer Aussage zur menschlichen Sexualität, die so umfassend ist, daß sie zurückreicht bis zu Gottes Erschaffung von Mann und Frau.

In ihrem theologischen Zusammenhang weisen die neutestamentlichen Aussagen zur Homosexualität eine erstaunliche Einheitlichkeit auf. Nach dem Plan Gottes gibt es für homosexuelles

_____

* häufiges Wechseln des Partners

Verhalten von der Schöpfung bis zum Eintritt seines Reiches keinen Raum. Es ist deshalb nicht verwunderlich, daß Gottes Weisungen für das Leben – zusammengefaßt in den Zehn Geboten, homosexuelles Verhalten ausschließen. Das Neue Testament legt also ein theologisches Veto gegen jede homosexuelle Praxis ein.

Doch gerade die Erwähnung der Motive wird lauten Widerspruch wachrufen. Wie verhält es sich denn mit der Liebe, mit dem höchsten Gebot, in diesem ganzen Problemkreis? Die Anhänger der gegenwärtig so beliebten Situationsethik – einer einflußreichen Richtung innerhalb der christlichen Ethik – sind der Meinung, Jesus habe den Dekalog, ja, eigentlich jede auf dem Gesetz basierende Sittenlehre durch die Ethik der Liebe ersetzt. Hat er nicht gelehrt, daß das Motiv der Liebe alles rechtfertigen kann?

Homosexualität und das Gebot der Liebe

Die neutestamentlichen Aussagen über die Liebe mußten öfters dazu herhalten, paulinische Worte zu unterhöhlen. Die Frage, die Gott an jede homosexuelle Handlung richten würde, lautete dann nicht: »Wird hier ein Gebot in Mitleidenschaft gezogen?« sondern: »Ist es in Liebe geschehen?«

Norman Pittenger kann dann auch unverblümt sagen: »Homosexuelle Handlungen zwischen Personen, die eine dauerhafte Liebesverbindung im Sinn haben, sind keine Sünde und sollten auch von der Kirche nicht als solche betrachtet werden.« Leonard Barnett läßt ebenfalls eine solche liberale Gesinnung erkennen. »Ist es nicht im höchsten Maße unchristlich und lieblos«, so fragt er, »einem Homosexuellen erbarmungslos das Recht abzusprechen, in Verantwortung und Liebe seine Liebesfähigkeit auszuüben – einschließlich der sexuellen Liebe?«

Es spricht vieles für eine christliche Ethik, die die Liebe zum Kernpunkt macht. In seinen Äußerungen zu Fragen der Moral legte Jesus selbst sehr viel Wert darauf. Er hatte wenig Geduld mit dem lieblosen Tugendhelden, der sich sklavisch an die Regeln hält und der die bissige Empfehlung Mark Twains verdient, er sei »ein guter Mann im schlimmsten Sinne des Wortes«.

Die Vertreter der Situationsethik führen noch weitere Argumente an, die einiges Gewicht haben. Wenn wir die Selbst-Hingabe als ein besonderes Kennzeichen der christlichen Liebe bezeichnen, müssen wir zweifelsohne zugeben, daß einige homosexuelle Partnerschaften liebevoller sind als so manche heterosexuelle Ehen. Wie die Anzeigenseiten in Homosexuellenzeitschriften beweisen, sehnen sich viele Homosexuelle weit mehr nach einer starken liebevollen Beziehung als nach geschlechtlicher Betätigung – eine Tatsache, die in ähnlichen Anzeigen anderer, für den »normalen« Markt bestimmten Zeitschriften nicht immer so deutlich wird.

Wenn wir also zugeben müssen, daß manche Handlungen beim ehelichen Geschlechtsverkehr am Maßstab der Liebe gemessen unmoralisch sind, sollten wir dann nicht jene intimen Handlungen zwischen Homosexuellen bejahen, die, nach dem gleichen Maßstab gemessen, moralisch sind? So denkt jedenfalls Leonard Barnett. Er meint: »Heterosexuelles Verhalten und homosexuelles Verhalten sollten von denselben Regeln christlicher Sexualethik beherrscht werden.«

Diese Einstellung ist freilich der vollen Kritik ausgesetzt, die sich die Situationsethik gefallen lassen muß. Auch wenn Jesus die Liebe betont, hat er nie gelehrt, mit diesem Motiv alles rechtfertigen zu können. Er gab seinen Jüngern niemals Anlaß zur Vermutung, sie könnten aufgrund seiner Aussagen über die Liebe diejenigen alttestamentlichen Gesetze mißachten, die bestimmte Dinge verurteilen – welche Motive ihnen auch immer zugrunde liegen mögen (Matthäus 5,17–20). Er hat zwar ausdrücklich darauf hingewiesen, welche Bedeutung die innere Einstellung eines Menschen, also seine Gedanken und Gefühle für sein Sexualleben haben; aber es gibt keinerlei Anzeichen dafür, daß er den außerehelichen *hetero*sexuellen Geschlechtsverkehr nur dann mißbilligen würde, wenn er aus schlechten oder unklaren Motiven geschieht.

Michael Ramsey beobachtet ganz richtig: »Nicht die gründliche Untersuchung der Aussagen Christi, sondern eine bestimmte Vorstellung von der Liebe machen wir zur Grundlage einer Theorie, die uns dann zu der Erkenntnis verhilft, ›daß nichts als in sich falsch bezeichnet werden kann‹.« Mit anderen Worten: Als Jesus die alttestamentlichen Moralgesetze in seinem doppelten Liebesgebot zusammenfaßte, benutzte er das Wort *Liebe* als Überschrift und nicht als eine nachträgliche Korrektur des Inhalts.

Es entspräche ganz und gar nicht dem Sinn des Neuen Testaments, sämtliche anderen Grundregeln durch das Gebot der Liebe zu ersetzen. Zudem wäre dies eine höchst unzulängliche

Stütze für die persönliche Moral. Die Vertreter der Situationsethik geben auch bereitwillig zu, daß diejenigen, die außer dem
Motiv der Liebe keine anderen Richtlinien gelten lassen, sich auf
viele Fehlurteile in ihrem moralischen Urteil gefaßt machen
müssen.

Die biblische Lösung auch für die Probleme der Homosexualität liegt in den geoffenbarten Geboten Gottes, die im Dekalog
zusammengefaßt sind und vom Heiligen Geist verwirklicht
werden. Die Zehn Gebote spiegeln Gottes Schöpfung wider und
lassen sein Reich vorausahnen, in dem sein Wille in Vollkommen-
heit befolgt wird. In den neutestamentlichen Textstellen wird
homosexuelles Verhalten für falsch, schöpfungswidrig und für
sündhaft erklärt. Das Motiv der Liebe kann dieses Urteil nicht
aufheben.

Die Liebe Christi erfahren – eine Hoffnung für Homosexuelle

Fragen der Homosexualität sind zu einem vieldiskutierten Thema geworden. Kirchentage, Homofestivals, Studenten- und Schülerkreise sowie das coming-out von Theologen, Juristen und Medizinern trugen dazu bei. Es entstand in den letzten Jahren so etwas wie eine Homosexuellen-Bewegung, die sich bis zu terrorartigen Störungen steigerte und sich derzeit in literarischer Form manifestiert. Rundfunk und Fernsehen machten das Problem durch Filme, Interviews und Diskussionen gesellschaftsfähig.

Die gleichgeschlechtliche Neigung sollte nicht isoliert gesehen, sondern in den gesamten Lebenszusammenhang hineingestellt werden. Nur persönliches Verständnis, intensive Bemühungen und seelsorgeliches Vertrauen werden helfen können. Vorwürfe oder Verachtung sind unangebracht. Betroffen sind wir allerdings, wenn Aussagen der Bibel entstellt und uminterpretiert werden. Man muß ihr schon Zwang antun, wenn man Homosexualität biblisch rechtfertigen möchte.

Meine Darlegungen entstammen der praktischen Seelsorge. Sie gelten der männlichen wie der weiblichen Homosexualität, obwohl in der seelischen Struktur zwischen Mann und Frau Unterschiede gegeben sein mögen. Lesbischen Gefühlen wird man zwei besondere Merkmale zusprechen können, eine stärkere ästhetische Qualität und eine intensivere Emotionalität. Beim männlichen Homosexuellen wird manche Handlung vom hormonellen Triebdruck diktiert; Lesbierinnen benutzen die Ersatzfunktion der Phantasie in höherem Maße. Sowohl bei der männlichen wie bei der weiblichen Homosexualität besteht die Unterscheidung zwischen einer aktiven Betätigung und einer bloß latent vorhandenen Triebrichtung. Es gibt zwischen beiden zahlreiche Übergänge und Abstufungen, auch eine ausgesprochene Bisexualität.

Zunächst einmal keine Angst vor gleichgeschlechtlichen Freundschaften. Es gibt eine natürliche geistige Anziehungskraft unter gleichgeschlechtlichen Personen. In der Jugend mag diese Anziehung entwicklungsbedingt sein. Sie besteht auch in den späteren Altersphasen. Gemeint ist jene stimulierende Geistigkeit, die sich in Männerbünden, in Hobby-Clubs, in Frauenvereinigungen, Kaffeekränzchen niederschlägt. Jugendverbände haben das seit Jahrzehnten berücksichtigt, und sie taten gut daran, in der Pubertätszeit gleichgeschlechtliche Gruppenbildungen und entwicklungsspezifische Gruppenarbeit zu fördern.

Als biblisches Beispiel einer Männerfreundschaft dient die Begegnung zwischen David und Jonathan (1. Samuel 18–20; 2. Samuel 1). Die herzliche Freundschaft der beiden hatte nichts mit Homosexualität zu tun. Die alttestamentliche Gesetzgebung läßt eine derartige Verdächtigung nicht zu, denn in Israel hätte die homosexuelle Beziehung eines Königs keine Chance gehabt (Todesstrafe). Von König Saul verfolgt, war David auf diese Männerfreundschaft angewiesen. Der Kampf auf Leben und Tod machte für David die Bruderschaft mit Jonathan wichtig und entscheidend.

Aus der Seelsorgepraxis heraus werden folgende Entstehungsbedingungen für Homosexualität vermutet:

Vorgeburtliche Einflüsse

Psychologen erkannten bei Betroffenen, daß die Ursache ihrer Veranlagung bereits in die Zeit der Schwangerschaft fallen kann. Tatsächlich können seelische Vorgänge innerhalb der Mutter-Kind-Beziehung sehr gravierend sein. Seelische Störungen können sich bereits im Mutterleib vorbereiten oder ausgelöst werden. Eltern sollten sich daher vor der Geburt ihres Kindes nicht auf ein bestimmtes Geschlecht festlegen. Sie empfangen ein Mädchen oder einen Jungen gleichermaßen aus Gottes Hand. Zumindest sollte man später nicht den Fehler begehen, dem Kind vorzuhalten: »Es wäre uns lieber gewesen, wenn du als Junge/als Mädchen zur Welt gekommen wärst.« Das führt häufig dazu, daß die Tochter oder der Sohn sich grämen, ein Mädchen oder ein Junge zu sein.

Erziehungsfehler

Angst-Einflößen vor dem Geschlechtsleben, das als »schlecht und sündig« bezeichnet wird, falsche Aufklärung, zerrüttete Ehen, neurotische Eltern, Ablehnung durch die Mutter oder den Vater, all das trägt dazu bei, Kinder zu erziehen, die später konfliktgeladen sind und mit abweichendem Verhalten auf Alltagssituationen reagieren.

Die Pubertät

Der junge Mensch erlebt eine Entwicklung vom autoerotischen zum homoerotischen Sein. Physiologische Grundlage dürfte das

hormonale Geschehen sein. Beim Mädchen erfolgt eine kurze
»Vermännlichung«, beim Jungen eine mäßige Neutralisierung
seiner Männlichkeit. Jungen nehmen mädchenhafte Züge und
Mädchen oft burschikoses Benehmen an. Es entstehen die Jun-
gen- wie Mädchenfreundschaften. Man »hängt« zusammen. Es
kommt bisweilen auch zu körperlichen Berührungen.
Die hormonale Steuerung bewirkt zunächst eine latente
homoerotische Einstellung, die das Teenageralter zu überdauern
vermag. Es handelt sich dabei um eine normale Reifungsperiode.
Unnormal wäre es, wenn die seelische Harmonie zu sexuellen
Handlungen zwischen den gleichgeschlechtlichen Jugendlichen
führen würde, weil dies sonst zu einer Fixierung der vorüberge-
henden homoerotischen Einstellung kommen könnte.
Die seelsorgerliche Begegnung kann hier befreiend wirken und
tiefsitzende Angst den jungen Menschen nehmen. Einmalige oder
kurzfristige Fehltritte können deshalb nicht mit ausgesprochener
Homosexualität gleichgesetzt werden.

Die Erstbegegnung
Entscheidend für das spätere Leben auf sexuellem Gebiet kann die
sogenannte Erstbegegnung sein. Wie ein Mädchen mehr seelisch als
körperlich durch die Erstbegegnung mit einem Mann geprägt wird,
so kann die Erstbegegnung auf gleichgeschlechtlicher Ebene ebenfalls den Menschen programmieren. Wird ein Junge von einem Älteren verführt, dann kann dieses Lusterlebnis seine späteren Gefühle
beeinflussen. Ein solches Erlebnis drängt nach Wiederholung, diese
aber führt zu seelischer Abhängigkeit und gegenseitiger Bindung.
Ohne falsche Weichenstellung reift der junge Mensch zur anders-
geschlechtlichen Liebe und zum natürlichen sexuellen Empfinden.

Die unbewußte Angst vor dem Weiblichen
Wenn das Ich inzwischen so stabil geworden ist, daß es sich dem
Du des anderen Geschlechts schenken kann, dann findet eine Reifung zur gegengeschlechtlichen Liebe statt, und dann wird auch
das andere Geschlecht besonders anziehend. Meist machen die
ersten Kontakte noch unsicher, weil der Partner als andersartig
und fremd empfunden wird. Langsam wächst das Vertrauen, und
am Ende steht dann im Idealfall die Fähigkeit zu lieben.

Emanzipatorische Irreführungen
Hier wird ein weites Themengebiet berührt, das die Gesellschaft
verunsichert, gerade was die Forderungen radikaler Feministin-

nen angeht, das Männliche und Weibliche zu nivellieren. Diese Gleichheitstheorien entsprechen nicht der biblischen Schöpfungsordnung, denn dort sind Mann und Frau in ihrer geschlechtlichen Liebe aufeinander abgestimmt. Gott hat beide, Mann und Frau, einander zu Gefährten bestimmt und sie dementsprechend geschaffen. Darum sind auch Vater und Mutter als Mann und Frau geschlechtliche Bezugspersonen für das Kind. An Vater und Mutter sieht und lernt das Kind, was männlich und weiblich ist. Verschiebungen können sich ergeben, wenn entweder der Vater oder die Mutter zu hart oder zu weich erlebt werden. Die Dominanz des einen oder die Schwäche des anderen darf sich nicht zu extrem und negativ auf das Kind auswirken. Undeutliche Eigenschaften der Eltern verhindern eine Identifikation mit dem entsprechenden Geschlecht. Je mehr sich daher ein Kind wesensmäßig mit dem Elternteil zu identifizieren vermag, desto stärker wird es die der eigenen Person zuzuschreibenden Merkmale entwickeln.

Diese Beobachtung kann auch gemacht werden, wenn ein Elternteil in der Erziehung resigniert hat und die Führung des Kindes dem anderen überläßt, der dann vielleicht damit allein überfordert wird und sich in das Verwöhnen und/oder Bestrafen flüchtet. Hieraus können sich möglicherweise Antipathien geschlechtlicher Art entwickeln. Auch überwiegend berufsbedingte Abwesenheit eines Elternteils kann zu Unwägbarkeiten führen. Sich daraus entwickelnde extreme Erziehungsmethoden können zur Störung einer ausgeglichenen Persönlichkeitsentfaltung beitragen. Fehlende Wärme von seiten der Eltern ruft zuweilen Schüchternheit und Kontaktarmut bei Kindern hervor, ebenso wie mangelndes Selbstbewußtsein.

Unzuträgliche Heimaufenthalte
Der Heimaufenthalt von Kindern ist besonders übel. Manch ein Betroffener hatte eine Heimerziehung hinter sich und berichtete von gegenseitig praktizierter Masturbation. Mancher suchte bei den Heimbewohnern, was er bei den Eltern vermissen mußte: eine gute Beziehung, Wärme und Zärtlichkeit. Heimkinder fühlen sich nicht selten abgeschoben, was ein negatives Selbstbild erzeugen kann. Es gibt auch Kinder, die regelmäßig in den Ferien in irgendein Heim gebracht werden, damit die Eltern allein in Urlaub fahren können. Oft ahnen Väter und Mütter nicht, daß sie damit den Boden für die Flucht in die Gleichgeschlechtlichkeit bereiten. So wird das homosexuelle Spiel oft in Internaten gelernt.

Doch ein fehlendes Selbstvertrauen reicht allein nicht aus, um Homosexualität zu begründen. Der Jugendliche muß mit dieser Praxis in Berührung kommen. Darum spielen Verhalten und Verführung eine große Rolle, auch wenn dies von der Homosexuellenbewegung abgestritten wird und die altersbedingte Jugendschutzgrenze in § 175 abgeschafft werden soll. Ein Mensch mit zu geringem Selbstbewußtsein wird verführen und verführt werden, vom Triebimpuls her oder aus Verlegenheit. Durch Enttäuschungen mit Mädchen ergibt sich ebenfalls die Gefahr, den dann leichteren Weg zum Gleichgeschlechtlichen zu suchen. Oftmals wird sogar geheiratet, jedoch ist eine solche Ehe keinerlei Belastungen gewachsen. Und gerade das Verhältnis der Ehepartner zueinander ist entscheidend für die Geschlechtsfindung ihrer Kinder. Die spätere Gefährdung liegt insbesondere in der Schaffung und Ausnutzung von Abhängigkeitsverhältnissen zwischen Älteren und Jüngeren (neben der erschwerten Identitätsfindung).

Biblisch-theologische Beurteilung

Nun können noch so exakte psychologische Deutungen nicht alles aussagen, sondern sie werden allzuoft in menschlich beschränktem Wissen steckenbleiben. Darum soll die Bibel, Gottes Wort, dazu befragt werden. Die Bibel nimmt das Problem der Homosexualität nicht als fest umrissenes Thema auf, das dogmatisch abgerundet zur Lösung geführt wird. Jedoch sind Leitlinien gegeben. Darüber hinaus macht sie an konkreten Fällen Gottes unzweideutige Haltung klar.

Das Alte Testament

Aus alttestamentlichen Stellen geht hervor, daß Gott Fragen dieser Art nicht als menschliche Schwäche und geringfügiges Übel betrachtet. Im Gegenteil: Gott spricht unmißverständliche Worte.

3. Mose 18,22:»Du sollst nicht bei einem Manne liegen, wie man bei einer Frau liegt, das wäre ein Greuel.«

3. Mose 20,13:»Wenn einer bei einem Mann liegt wie bei einer Frau, so haben beide ein Greuel verübt; sie sollen beide des Todes sterben; ihr Blut sei auf ihnen.«

Diese Texte finden sich im Heiligkeitsgesetz Levitikus (Kapitel 17—26); darin kommt die Forderung Gottes zum Ausdruck:»Ihr sollt heilig sein, denn ich bin heilig, der Herr, euer Gott« (19,2).

Das Volk Israel sollte sich in seinem Verhalten von heidnischen Völkern unterscheiden. Auf die »Bräuche der Heiden«, die von Gott verabscheut werden, wird hingewiesen (20,23).

Darüber hinaus weiß die religionsgeschichtliche Forschung, daß die Homosexualität auch in nichtjüdischen Kreisen auf Widerstand stieß. So versuchte der griechische Gesetzgeber Solon um 590 v. Chr., in Athen die gewerbsmäßige Päderastie einzuschränken. Auch der athenische Politiker Aischines (geb. um 390 v. Chr.) wendet sich gegen die gewerbsmäßig ausgeübte Homosexualität. Im römischen Recht stellt seit 226 v. Chr. die Lex Scantinia bestimmte homosexuelle Handlungen unter Strafe; dies vor allem, um den Schutz von Minderjährigen zu gewährleisten.

Das Verbot der Homosexualität steht demnach im Alten Testament nicht isoliert, sondern hat zahlreiche Parallelen in der Gesetzgebung und in der gesellschaftlichen Wirklichkeit der Antike mit ähnlich harten Strafen.

In 1. Mose 19 wird geschildert, wie die Bewohner Sodoms gewalttätig das Haus Lots bestürmen und ihn auffordern, die männlichen Besucher auszuliefern. Offensichtlich war in Sodom Homosexualität zu einer Art »öffentlichem Recht« geworden, das selbst die Intimsphäre der Fremden nicht mehr achtete. Die homosexuelle Massengier Sodoms zeigte sich also keineswegs »sozial unschädlich«, wie man das heute wohl sagen würde, sondern vergriff sich an menschlicher Würde und Freiheit, indem man sich seiner eigenen »Freiheiten« rühmte. Jeder weiß, daß Abrahams Fürbitte für diese Stadt nichts auszurichten vermochte und Gottes Gericht die fruchtbaren Ländereien um Sodom zur trostlosen Wüste werden ließ. In Richter 19 wird eine ähnliche Geschichte bezeugt, in der die Männer von Gibea ihren sexuellen Willen fremden Menschen aufdrängten.

Das Neue Testament

Hier gibt es einige prägnante Textstellen und unzweideutige Begriffe:

Römer 1,26—27: »Darum hat sie Gott dahingegeben in schändliche Leidenschaften; denn ihre Frauen haben den natürlichen Verkehr vertauscht mit dem widernatürlichen; desgleichen haben auch die Männer den natürlichen Verkehr mit der Frau verlassen und sind in Begierde zueinander entbrannt und haben Mann mit Mann Schande getrieben und den Lohn ihrer Verirrung, wie es ja sein mußte, an sich selbst empfangen.«

Gleichgeschlechtliches Verhalten wird durch den Apostel Paulus also eindeutig abgelehnt. Übrigens ist hier der einzige Hinweis der Bibel gegeben, daß sich gleiches auch auf lesbischer Ebene vollzieht. Die heutige Idealisierung der gleichgeschlechtlichen Liebe findet in der Bibel keine Bestätigung.

In 1. Korinther 6,9–10 findet sich ein weiteres Beispiel. Hier werden Negativgruppierungen aufgezählt, darunter Lustknaben und Päderasten. Wahrscheinlich will Paulus mit diesen beiden Ausdrücken den passiven und den aktiven Partner beim männlichen Sexualakt kennzeichnen. Diese Laster werden gleichzeitig mit Götzendienst, Diebstahl, Habsucht und anderem genannt. Das scheint ein Zeichen dafür zu sein, daß religiöse und ethische Verfehlungen nicht immer zu trennen sind.

In 1. Korinther 6,11 spricht Paulus die korinthischen Christen darauf an, daß einige von ihnen sich solche Verfehlungen zuschulden kommen ließen. Sie sind aber anders geworden, ihnen wurde vergeben (»ihr seid abgewaschen«), durch den Namen des Herrn Jesu wurden sie geheiligt und gerecht. Daraus läßt sich mit Recht die Folgerung ziehen, daß Paulus die Homosexualität nicht als unkorrigierbar versteht.

Ein weiterer neutestamentlicher Beleg ist uns mit 1. Timotheus 1,10 gegeben: Dort ist noch einmal von Päderasten die Rede, auch von Menschenhändlern. In diesem sogenannten Lasterkatalog wird die Homosexualität ebenso wie andere Fehlhaltungen verurteilt.

Sexuelle Polarität als Schöpfungsordnung

Die oben genannten Stellungnahmen der Bibel gegen die Homosexualität fußen letztlich alle in der Schöpfungsordnung: daß Gott die Menschen in sexueller Polarität, als Mann und Frau, geschaffen hat. Man vergleiche hierzu den Schöpfungsbericht, insbesondere 1. Mose 1,27 und 2,21–24.

Der Theologe Stählin sagt, daß der Mensch »von Anfang an in den zwei Seinsformen des Männlichen und des Weiblichen geschaffen ist« und daß »diese das ganze Leben durchziehende geschlechtliche Zweiung über alles naturhafte Leben hinaus einer höheren Bestimmung dient«. In der biblischen Urgeschichte ist in der Tat kein Raum für den Mythos von einem ursprünglich androgynen (zwitterhaften) Menschen, der die Wesensmerkmale beider Geschlechter in sich vereinigt hätte. Im Menschen kommt dagegen die Zweiung, die dem Lebendigen »eingestiftet« (Stählin) ist, zur höchsten Vollendung, nämlich in der Begegnung mit dem Du. Dadurch kommt der Mensch als das duhafte Wesen durch den anderen zu seinem Ich. Das personale Sein bildet sich am personalen Sein des Partners, der doch »Fleisch von meinem Fleisch« ist. Die Zweigeschlechtlichkeit des Menschen ist keine Banalität und keine rein menschliche Reflexion, die einem ständigen Wandel unterliegen kann. Der Offenbarungsinhalt Gottes hat elementaren Charakter. Variationsmöglichkeiten (Homosexualität als Schöpfungsvariante) lagen nicht im Ursprung der Gedanken Gottes. Das »Gutsein« in den Augen Gottes am Schöpfungstag bezieht sich ausdrücklich auch auf das Mann- und Frausein des Menschen. Gott hat diesem »Sein als Mann und als Frau« einen Sinn gegeben.

Im Rahmen der Schöpfung hat Gott den Menschen als Mann und Frau vorgesehen und beide in ihrer Fruchtbarkeit gesegnet. Die Zweigeschlechtlichkeit in ihrer Ergänzungsfähigkeit ist Schöpfungssinn und Schöpfungsauftrag Gottes. Wählt der Mensch in eigenem Ermessen abseits des Schöpfungsrahmens die Gleichgeschlechtlichkeit, dann bleibt er schöpfungsmäßig steril, unfruchtbar. Sterilität ist aber nicht der Sinn der Schöpfung. Schöpfung ist auf Leben hin angelegt. Gleichgeschlechtlichkeit bedeutet »Verlust auf Leben« im Rahmen der Schöpfung. Darum ist im biblischen Verständnis Homosexualität kein gangbarer Weg. Alle Textstellen zeigen, daß dieses Problem keine zeitgebundene Randerscheinung der Ethik ist. Es handelt sich um eine unbedingte biblische Forderung.

Möglichkeiten der Hilfe

Vorbeugung
Wenn das Problem der Homosexualität überhaupt vorbeugend lösbar ist, dann werden wir in unseren Familien beginnen müssen. Durch Spott, Verachtung und ungebührliche Strenge werden Minderwertigkeitsgefühle erhöht, aber keine Heilungen erzielt. Depressionen sind bei vielen Homosexuellen sehr stark, wenn auch die Betroffenen nach außen unbekümmert und selbstsicher erscheinen.

Die Eltern müssen auch verstehen lernen, daß es nicht genügt, ihre Kinder materiell zu versorgen. Sie brauchen das Gefühl von Geborgenheit, Liebe und Sicherheit. Wenn Liebe, Verständnis und Aufklärung in bewußter Verantwortung gegeben sind, dann werden Kinder weniger auf die Suche nach Liebesersatz gehen.

Eine gesunde und fröhliche Familienatmosphäre ist die beste Vorbeugung gegen spätere Verirrungen. Eine friedliche, harmonische Häuslichkeit wird dazu beitragen, daß sich Kinder in jeder Weise normal entwickeln können.

Eine rechtzeitige sexuelle Aufklärung durch die Eltern wird mithelfen, Fehlentwicklungen zu vermeiden. Entdeckt man ein Kind bei einer befremdlichen Handlung oder bemerkt man an ihm eigenartige Verhaltensabläufe, so sind nur eine ruhige Aussprache und eine Klärung des Problems angemessen. Anschreien, Züchtigen und Drohen verschlimmern das Übel und festigen möglicherweise ein Verhalten, das zunächst vielleicht nur ein flüchtiges, von Neugier getragenes Erlebnis war.

Einsicht

Ich kenne Betroffene, die verzweifelt nach einem Ausweg suchen, um dem Dilemma zu entgehen, in das sie durch die Uneinigkeit mit der Schöpfung geraten sind. Sie empfinden den Geborgenheitsmangel und den Verlust seelischer Gemeinschaft und sehen sich immer weniger in der Lage, ihr zunehmendes psychisches Chaos zu meistern. Sie leiden. Sie leiden an sich selbst und sind überaus sensibel in der Wahrnehmung ihres Gemütszustandes. Nicht selten kommt es zu Kurzschlußhandlungen. Unsicherheit und Einsamkeit rufen Depressionen hervor. Angst vor dem Verlassenwerden, scheinbare Ausweglosigkeit, Scham und depressive Stimmung steigern sich bis zum Lebensüberdruß.

Seelsorge wird die Verantwortlichkeit für den Mißbrauch des Sexualverhaltens einsichtig machen. Die Tiefenschichten der Seele des Menschen zu erfassen, wird ein Schritt des Verstehens sein. Durch Einfühlungsvermögen, Takt und Verständnis wird man ihm näherkommen. Verständnis jedoch nicht in der Art, daß man die Praktiken mildernd gutheißt. Diese Praktiken lösen tiefes Leid aus. Alle humanitären Plädoyers sind daher keine Hilfe, so mitmenschlich sie auch gemeint sein mögen. Rechtfertigung und Billigung durch Kirche und Gesellschaft sind nicht im entferntesten gleichzusetzen mit einem Prozeß der Heilung, ohne den psychisches Leiden nicht überwunden werden kann. Das Herumbasteln an gesellschaftlichen Symptomen wird nicht weit führen. Das heile Gewissen wird weder durch Verharmlosung noch durch entschuldigende Beschönigung erreicht, sondern durch aufrichtige Schulderkenntnis, die zur göttlichen Vergebung führt.

Begleitende Seelsorge

Nicht jeder Konflikt wird zu lösen sein, Vergebung kann nicht automatisch einen heilen Zustand schaffen. Nicht selten bleibt »der Pfahl im Fleisch«. »Wir haben nicht die Möglichkeit, eine Seele, die schon sehr großen Schaden genommen hat, von Grund auf zu erneuern« (Christa Meves). Es war ja nicht nur die soziale Absonderung, sondern die seelische Unstimmigkeit, die der Berufung des Menschen und dem Sinn gesunder Partnerschaft zuwiderlief.

Im Prozeß der Stabilisierung ist die Mitarbeit des Betroffenen erforderlich. Ein bequemes passives Glauben wird nicht weiterhelfen können. Der radikale Abbruch sämtlicher fragwürdiger Beziehungen und eine feste Selbstdisziplin müssen sich unverzichtbar zu einem neuen aktiven Lebensprogramm gestalten. Begleitende Seelsorge durch eine Vertrauensperson ist über einen längeren Zeitraum so gut wie unerläßlich. Gemeinsam kann man zu einem Teil die verborgenen Fehlprägungen und seelischen Erschütterungen abtragen, die letztlich Veranlassung zur sexuellen Triebfehlleitung waren. In unbelasteter Gemeinschaft und in familiären Freundschaften wird der Betroffene mehr und mehr zum natürlichen Verhältnis naturgewollter Partnerschaft zurückfinden.

Selbstmitleid hilft nicht. Denn dieses Selbstmitleid hat vielleicht auch die Entstehung der Homosexualität begünstigt und zu einer unausgereiften Form menschlicher Sexualität geführt.

Psychotherapeuten mögen recht haben, wenn sie sagen: »Homosexualität ist therapeutisch nicht zu beseitigen« (Siegfried Keil). Ungezählte vergebliche Versuche liegen vor. Von der Heiligen Schrift wissen wir, daß nur das Evangelium Jesu Christi diese Kraft besitzt. Das Evangelium gibt keinen Menschen preis, sondern weist den Weg der Hoffnung. Daher die Wiederholung des Apostelwortes: »Solche Leute sind einige von euch gewesen. Aber ihr seid reingewaschen, ihr seid geheiligt, ihr seid gerecht geworden durch den Namen des Herrn Jesus Christus und durch den Geist unseres Gottes« (1. Korinther 6,11).

Zuspruch des Evangeliums

Menschlicher Glaube ist immer schwach und schwankend. Aber der Glaube ist ein Faktum in der Nachfolge Christi. Und Christus ist der Fels und das Rückgrat des Glaubenden. Wer sich auf Nachfolge Christi einläßt, kann mit der Wandlung seines Seins rechnen, nicht immer mit vordergründigen Wundern, aber damit, daß Festigkeit, Wahrhaftigkeit und Verlaß in sein Leben einziehen. Der Apostel Paulus bekennt sich mit klarem Zeugnis zur Rettungstat Gottes und zur Erlösung durch Christus (Römer 6,17–18): »Gott sei aber gedankt, daß ihr Knechte der Sünde *gewesen* seid, aber nun... frei geworden seid von der Sünde.«

Gott kann plötzlich wirken, auch außerhalb scheinbarer Vernunft und psychologischer Erwartung. »Sprich nur ein Wort, so wird mein Knecht gesund«, bat einer Jesus Christus. Und Christus tat es: »Gehe hin, dir geschehe, wie du geglaubt hast!« (Matthäus 8,5–13). Spontane Heilung geschieht durch Vertrauen und Glauben. Es wäre Unglaube, das für die heutige Zeit leugnen zu wollen.

Aber das Problem der Homosexualität bedarf nach aller Erfahrung eines anderen Weges. Es wird ein längerer Prozeß werden, der durchzustehen ist. Dieser zweite Weg ist ebenso biblisch fundiert wie geistlich legitimiert. Ich bin überzeugt, daß für eine Reihe von Situationen und Lebenslagen im biblischen Sinne nicht so sehr das »Plötzliche« und »Spontane« gilt, sondern das »Werden und Reifen«. Manches im Leben geht aufbauend und wachsend vor sich, so auch psychische Gesundung. Ein solch permanenter Prozeß kann unter Umständen ein Leben lang anhalten.

Es gibt auf diesem Gebiet kein »bequemes Glauben«. Eigene Energie ist zu mobilisieren. Das bedeutet einen langen und ernsthaften Kampf mit sich selbst. Das Neue Testament legitimiert dieses Bemühen: »Kämpfe den guten Kampf des Glaubens« (1. Timotheus 6,12) und: »Lasset uns laufen durch Geduld in dem Kampf, der uns verordnet ist« (Hebräer 12,1). Ein mutiger Einsatz gegen sich selbst wird innere Stärke bringen und gesundes Selbstvertrauen. Dann werden der Ersatzhandlungen weniger sein.

Glaube und Disziplin gehören zusammen. Ohne Disziplinierung des Menschen wird der Glaube keinen Bestand haben, ohne Glauben aber wird die Disziplin zur puren Eigenleistung und damit wertlos, weil ihr das notwendige Fundament fehlt.

Es geht also nicht im Schlaf, nicht von selbst. Einsatz und Mühe werden verlangt, Anstrengung und Überwindung erforderlich sein, Arbeit am Charakter wird notwendig werden, dazu ein Meiden aller stimulierenden Begegnungen und Mittel, ein schnelles Aufgeben entsprechender Freundschaften und eine Kontrolle der Gedanken und Phantasien. Man wird abgeben müssen. Aber ohne Sterben ist kein Leben zu haben. Neues Leben gründet sich auf das Hergeben des alten Lebens.

Käufliche Liebe

Die Erscheinungsformen der Prostitution sind äußerst variabel. Neben dem herkömmlichen Bordell gibt es unzählige Formen von Massagesalons, Saunen, Callgirl-Ringen, Hotel-, Hausfrauen- und Autobahnprostitution. Viele »Kurzbekanntschaften« mit flüchtigem Sexualverkehr haben prostitutionsähnlichen Charakter. Prostitution ist die Gewährung sexueller Kontakte gegen Bezahlung. Sie ist nicht geschlechtsspezifisch, sondern sowohl weiblich als auch männlich angelegt. Seit der Antike gab es das Angebot der Prostitution in fast allen Gesellschaften und bei allen Völkern. Ethnologen weisen allerdings darauf hin, daß sie bei einfacheren Naturvölkern nicht vorgekommen sein soll. Zeitweilig wurde die Prostitution in manchen Ländern strafrechtlich verfolgt, in anderen institutionalisiert und durch Behörden geregelt, stellenweise durch die gesellschaftspolitische Entwicklung gefördert, aber noch nirgends konnte sie mit Erfolg unterdrückt werden. Sie war stets eine sozial verachtete, aber meist rechtlich erlaubte Beziehung, die gesucht und begehrt, aber gleichzeitig verabscheut und geächtet wurde. Die scheinbar unvereinbaren Gegensätze von gesellschaftlicher Diffamierung und Konventionalisierung verbinden sich hier zu einer merkwürdigen Einheit.

Die Betroffenen

Prostituierte kommen aus allen Bevölkerungsschichten und haben in der Regel eine durchschnittliche Berufsausbildung. Andererseits fehlen ihnen jedoch der Wille und die Ausdauer zu regulärer Beschäftigung. Alice Rühle-Gerstel charakterisiert die Tragik im Prostituiertenschicksal als eine neurotische Flucht vor den Lebensaufgaben, als ein traumatisches und falsches Ideal von Freiheit, das sie in den unfreiesten aller Berufe abgleiten läßt. Völlig unhaltbar ist die Vorstellung von einem »grenzenlosen Sexualhunger« der Freudenmädchen; ebenso die gegenteilige Vermutung, diese Frauen seien frigide.

Viele Prostituierte verstehen sich meisterhaft darauf, im privaten Bereich ein solides Leben vorzutäuschen. Sie haben einen festen Partner, oft sogar Kinder und eine intakte Wohnung. Vor der Umwelt geben sie sich dann den Anschein solider Bürgerlichkeit. Doch ihr Selbstwertgefühl ist hoffnungslos geschädigt. Der Versuch, hinter der Fassade ein positives Selbstbild zu entwikkeln, scheitert an Ichschwäche und Liebesohnmacht.

Gewiß gibt es nicht *den* einheitlichen Typ *der* Prostituierten, wohl aber die eindeutige Wechselwirkung der biographischen und der gesellschaftlichen Situation. Zahllose Frauenschicksale, durch das Elend der dritten Welt verursacht, widerlegen die Behauptung, wirtschaftliche Not könne eine normale Frau nicht zur Prostitution zwingen.

Eine empirische Untersuchung des Psychologen Röhr über »Abweichendes Sozialverhalten und soziale Diskriminierung« aus dem Jahre 1972 hat ergeben, daß Prostituierte weithin ein auffälliges, hochgradig neurotisches Verhalten zeigen. Röhr spricht von emotionaler Labilität, von starken Stimmungs- und Antriebsschwankungen, geringer Belastbarkeit und Ruhelosigkeit. Diese neurotische Unausgeglichenheit resultiere nachweislich aus frühen Kindheitserlebnissen. Konfliktreiche Eltern-Kind-Beziehungen, gestörte Identifikation mit der Mutter und das Fehlen eines kontinuierlichen Kontaktes zu Bezugspersonen seien in aller Regel der schicksalhafte Hintergrund.

Unter 500 psychologisch beobachteten Prostituierten wurde nach einem Test des Kriminologen Armand Mergen keine gefunden, die psychisch *nicht* auffällig gewesen wäre. Das galt nicht nur in intellektueller Hinsicht, sondern umfaßte die gesamte Persönlichkeitsstruktur. Abstumpfung und Desinteresse waren Merkmale. Dagegen kennen wir aber auch hochintelligente und mit äußerster Raffinesse arbeitende »Gesellschaftsdamen«, die in Umgangsformen und Anpassungsgeschick zur »Spitze« gehören.

Das Zusammensein mit dem Kunden ist einseitig. Meist blockt die »Dame« jede sinnliche Regung ab. Ihre »Berufsehre« gebietet der Prostituierten, den Mann zu täuschen und ihn zum Mittel ihres Unterhaltes zu degradieren. Der Mann macht sich oft abhängig, untertänig und handelt ohnmächtig. Keineswegs frigide erweisen sich Prostituierte, wenn sie ein tatsächliches Liebesverhältnis eingehen oder ihrem Zuhälter hörig sind. Bekannt ist überdies, daß manche Prostituierte lesbische Beziehungen untereinander eingehen und für weitergehende sexuelle Perversionen aufgeschlossen sind.

Die meisten Frauen sind schon bereits im Mädchenalter zwischen 13 und 21 Jahren zur Prostitution gekommen. Die dann folgende Palette ist breit: Ehefrauen aus zerrütteten Familien, Geschiedene, die den Konkurs der Ehe nicht verkraftet haben, Alkoholsüchtige und andere mehr.

Die Ursachen für das Abgleiten junger Mädchen in die Prostitution sind komplexer Natur. Viele fühlen sich im Zustand permanenter Opposition gegen Eltern und Gesellschaft. Schließlich flippen sie aus, indem sie sich selbst aufgeben und sich wahllos hingeben.

Es muß nicht immer der nicht verkraftete Konflikt mit der Mutter sein. Bekannt sind auch Fälle, in denen die Mutter selbst Prostituierte ist, die Tochter sich mit ihr identifiziert und dadurch zu diesem »Beruf« kommt. Andere werden durch ältere Prostituierte verführt, die ihnen leicht zu verdienendes Geld und Luxus versprechen. So berichtete die Tagespresse über die Chefin eines Münchener Callgirl-Ringes, die seit 1983 Mädchen von 15 Jahren aufwärts in ganz Europa an arabische Geschäftsleute vermittelte. Sie wurde zu einem Jahr und zehn Monaten Freiheitsstrafe verurteilt. Der Fall war ins Rollen gekommen, als die Mutter einer 15jährigen Schülerin wegen des kostbaren Schmucks und der Pelze Verdacht schöpfte. Die vermittelten Mädchen hatte die Angeklagte in Diskotheken und über Kontaktclubs gefunden.

Fast immer erweist es sich, daß die Anfälligkeit auf dem Boden eines gestörten Gefühlslebens vorgegeben ist. Das wiederum kann das Ergebnis von sexuellen Früherlebnissen sein, die nicht verkraftet wurden. Letztlich ist die Prostitution nicht die Schuld derer, die sich aus seelischer oder äußerer Not heraus verkaufen, sondern vielmehr die Schuld der »Käufer«, die dann wieder im Nebel der Anonymität untertauchen.

Die Kunden

Die Welt der Kunden, die der Prostitution verfallen sind, ist bunt strukturiert. Es sind Männer, die ihr Leben lang vergeblich nach der passenden Ehepartnerin gesucht haben. Einigen gelingt es nicht, das Bild der Ersehnten von dem Bild der Mutter zu unterscheiden. Auf dem Wege von der Kindheit zur gereiften Persönlichkeit sind sie steckengeblieben. Solche Kunden suchen jedoch nicht die totale Unverbindlichkeit, wie das gelegentlich verallgemeinernd behauptet wird. Selbst auf die Dirne projizieren sie noch das Idealbild der Frau, von der sie träumen.

Die tiefen psychischen Folgen der Prostitution zeigen sich beim jungen Mann in der Abwertung der Sexualität, indem der Partner zum bloßen Lustobjekt degradiert wird. Durch ein solch angelern-

74

tes Unvermögen, Liebe zu schenken, wird ein künftiges Eheleben nicht selten zum Scheitern verurteilt. Ein gesundes Erleben der Sexualität gelingt dann nur noch selten. In ihrer Ohnmacht zu lieben erleben solche Männer die Frauen weniger als Mitmenschen, sondern mehr als ihre Triebobjekte.

Zu den Kunden der Eros-Center zählen nicht wenige junge Herren aus gutbürgerlichen Familien, die den Anforderungen des Lebens aus dem Wege gehen. In ihrer Kontaktarmut und Ohnmacht zu lieben sind sie den Prostituierten in mancher Hinsicht ähnlich.

Geradezu magische Anziehungskraft üben Prostituierte auf die aus, die in ihrer Pubertät von den Eltern belehrt worden sind, Sexualität gehöre zur sündigen Nachtseite des Lebens. Viele junge Bordellbesucher verabscheuen darum menschlich zutiefst, was sie triebhaft begehren. Ihre Bordellerlebnisse bewirken, daß für sie Frauen Menschen zweiter Klasse werden. Durch den Umgang mit der Prostituierten sind sie unfähig zu werbender Zärtlichkeit, zu personaler Liebe und Treue. Nicht wenige Familienväter gehören zu den Stammkunden der Prostituierten. Sie mißachten die Menschenwürde ihrer Frau und ihrer Kinder.

Zu den verantwortungsscheuen, zu billigen Abenteuern neigenden Konsumenten der Prostitution gehören auch Männer, die dem Alkohol verfallen sind und solche mit kriminellen Neigungen. Die Erfahrungen des Psychotherapeuten bestätigen, daß die zur käuflichen Liebe Getriebenen weithin an quälenden Minderwertigkeitsgefühlen leiden. Ihr mangelndes Selbstbewußtsein kompensieren sie mit rücksichtslosem Geltungsdrang.

Bei Männern aller Schichten und Bildungsgrade fanden Sexualforscher drei lebensgeschichtliche Störfaktoren der Liebesfähigkeit:
1. die mißlungene Ablösung von der Mutter,
2. das Fehlen eines positiven väterlichen Leitbildes,
3. der Einfluß einer überhöhten egozentrischen Haltung in der Partnerschaft.

Aus der Sicht des christlichen Glaubens sind dies Erfahrungen elementarer Bedeutung. Wer den Zugang zum Nächsten verliert, verliert damit manchmal auch seine Beziehung zu Gott.

Hilfestellungen

Was kann und muß getan werden, um das Abgleiten in die Prostitution zu verhindern? Eine sachliche Aufklärung über den rechten Umgang mit der Sexualität bleibt im Elternhaus, in der Schule und in der Jugendarbeit unerläßlich. Der Erfüllung dieser Großaufgabe darf sich die christliche Gemeinde nicht entziehen. Sinnvoll sind hier u. a.:

1. Vortragsreihen von Fachleuten in Gesprächskreisen, möglichst mit Alt und Jung an einem Tisch.
2. Seminare für Jugend- und Erwachsenengruppen.
3. Kontaktgespräche mit Ehe- und Familienberatern.
4. Informationen durch Mitarbeiter des Jugendschutzes.

Dabei wird es vor allem um folgende Einsichten und Konsequenzen gehen:

Das Bild der Eltern-Ehe mit all seinen Stärken und Chancen, aber auch mit seinen Schwächen und Spannungen spiegelt sich in der Seele des Kindes. Es hat Modellcharakter. Das Kind erlebt die Eltern nicht in der Individualität des Vaters und der Mutter. Vielmehr ist das Mit- und das Gegeneinander der Eltern oft das Schicksal der Kinder. Bei allen sexuellen Fehlhaltungen ist darum zu fragen: Wie war und ist die Ehe der Eltern?

Erziehen heißt zur Eigenständigkeit und Mündigkeit verhelfen. Eine entscheidende Voraussetzung dafür ist das Erlernen verantwortungsbewußten Umgehens mit der Leiblichkeit.

Sexuelle Erfahrungen in jungen Jahren können Menschen in eine permanente Werdekrise führen.

Mit Freiheit umgehen lernt nur, wer sie auch bekommt. Freiheit kann nicht ohne Grenzen gedeihen, denn Zügellosigkeit hat mit Freiheit nichts zu tun. Menschen bedürfen der Grenzen, um überhaupt leben zu können. Freiheit ist nur im Rahmen von Ordnung möglich.

»Nicht die Information über die Funktion ihrer Geschlechtsorgane, sondern der Respekt vor der Verletzlichkeit der Freiheit des Mitmenschen muß die Grundlage einer verantwortungsbewußten Geschlechtserziehung sein« (Joachim Illies).

Ein junger Mensch kann nicht lernen, seinen Partner für dauernd und unter allen Umständen zu bejahen, wenn er nicht gelernt hat, sich selbst zu bejahen, gerade auch in und mit seiner Geschlechtlichkeit.

Geschlechtserziehung, die auf Triebbeherrschung verzichtet, kann zum Schrittmacher für Prostitution werden. Wer das Einschränkung nennt, verkennt oft aus Unwissenheit das Wesen des Menschen. Flucht in den Sex ist Aufgabe der persönlichen Würde des Menschen.

Zur Würde der menschlichen Person gehört die Kunst des »Neinsagens«, um durch Verzicht zu wachsen und zu reifen. In der geschlechtlichen Reifung geht es immer um das Gesamtprojekt des persönlichen Werdeprozesses.

Aus biblischer Sicht ist die Sexualität eine Schöpfungswirklichkeit. Die sexuelle Gemeinschaft in der Ehe symbolisiert die Liebesbeziehung zwischen Gott und Mensch. Damit erhält die menschliche Geschlechtlichkeit einen schöpfungs- und erlösungsbezogenen Sinn. Eine leibfeindliche und antisexuelle Einstellung ist unbiblisch. Die Verteufelung der Sexualität ist dem Evangelium ebenso fremd wie ihre Vergötzung.

In der krisenreichen Lebensphase ihrer Pubertät sind viele junge Menschen von lähmender, destruktiver Einsamkeit bedroht. »Ich weiß überhaupt nicht mehr, wer ich eigentlich bin«, schreibt eine 15jährige in ihr Tagebuch. »Da zieh' ich mir den engsten Pulli an, mache ganz auf sexy und reiß' die Typen auf. Aber keiner ahnt, daß ich dabei im Gefängnis meiner Einsamkeit verschmachte.«

Was kann und was muß geschehen, um die seelische Gesundheit der jungen Leute zu bewahren? Der Salzburger Psychologe Wilhelm-Josef Revers hat während seiner zehnjährigen Tätigkeit als Leiter des psychologischen Beratungsdienstes am Stadtjugendamt Würzburg die Erfahrung gemacht, daß nicht die biologische Anlage oder der Sexualtrieb, sondern eine im Elternhaus oder auch im Heim wurzelnde Kontaktnot der Anfang des Weges war, der zu sexueller Gefährdung und zu Prostitution führte.

Welche Chancen gibt es für junge Menschen, aus dem Sog der Lust herauszufinden? Der Schritt zur Freiheit gelingt oft mit einem Partner, den man wirklich lieben und achten kann und der diese Liebe beantwortet. In vielen Fällen wird dann selbst bei Prostituierten ein latentes Liebesverlangen und das Verlangen nach Treue festgestellt. Liebesfähigkeit heilt dann ein kaputtes Dasein. Der Weg geht meist über das Du. Jeder Mensch kann seiner Wirklichkeit nur im Du begegnen.

Man darf aber auch davon ausgehen, daß manch einer, der die käufliche Liebe anbietet oder sie in Anspruch nimmt, diesen Weg nur unter schweren inneren Konflikten geht. Eine Regung des Gewissens, die nur in Gott ihren Ursprung haben kann, bricht immer wieder durch.

Bei allen sozialen Bemühungen wird es entscheidend sein, daß die Betroffenen eine feste Bindung zurückgewinnen. Wer helfen will, muß geistigen und seelischen Rückhalt bieten und Vertrauen gewinnen. Die seelsorgerliche Erfahrung lehrt, daß es Prostituierte gibt, die aus dem Milieu ausbrechen konnten und ein neues Leben begannen. Es gibt Zeugnisse von Frauen, die diesen Schritt nach einer Glaubenserfahrung taten und eine Wandlung erfuhren. »Bis in das Äußere hat sich bei mir alles geändert. Selbst eine Ehe hat Gott mir noch geschenkt. Jetzt habe ich ein Kind und liebe es.«

Leben in sexualisierter Umwelt

Die Sittengeschichte verzeichnet Epochen großer Prüderie und Epochen des Libertinismus und der Promiskuität. Oswald Spengler hat in seinem Werk »Der Untergang des Abendlandes« überzeugend nachgewiesen, daß das Aufkommen und die Blütezeit von Weltreichen begleitet war von großer Sittenstrenge, während mit der Lockerung der sittlichen Gebräuche der Niedergang eingeleitet wurde. Verfielen die Sitten immer mehr, so war das stets ein Indiz für den bevorstehenden Untergang einer Epoche.

Noch bis vor wenigen Jahrzehnten wurden Eltern bzw. Vermieter mit Gefängnisstrafen bedroht, wenn sie Unverheirateten die Gelegenheit zum Zusammenwohnen gaben. Der Tatbestand der Kuppelei wurde recht eng aufgefaßt. Wie wir alle wissen, haben wir mittlerweile eine gewaltige Liberalisierung erlebt, die so ziemlich alle denkbaren Lebensformen möglich macht (»Ehe« ohne Trauschein, Gruppensex u.ä.), ohne daß eine Strafandrohung staatlicherseits erfolgen würde.

Der hierdurch beflügelte Ego-Trip führt zur Überindividualisierung und damit zwangsläufig zum Herauslösen des Individuums aus der gewissensmäßigen Verpflichtung der Allgemeinheit gegenüber.

Dem einzelnen ist es zumeist gleichgültig, wie sein Verhalten auf die anderen wirkt und was diese in ihrem Privatbereich tun. Stabilisierende, das Gemeinwesen zusammenhaltende Normen sind also weitgehend weggefallen.

Entgegen der Ansicht »fortschrittlicher« Psychologen ist das Schamgefühl dem Menschen nicht anerzogen, sondern angeboren. Dies ist unschwer nachzuweisen. Der Mensch bringt von Geburt an einen Schutzmechanismus mit, der ab einem bestimmten Alter (Ausprägung und Bewußtwerdung der Individualität) einsetzt und ihn, d.h. zumindest sein »Privates«, vor den Blicken und Zugriffen anderer schützen soll.

Jedes Individuum und jedes Ehepaar kommt zu der je eigenen Definition von sexuellem Glück nur dadurch, daß man sich zusammenfindet, sich unterhält und auf dieser kommunikativen Basis ein neues Miteinander entwickelt. Visuelle oder informative Einflüsse von außerhalb würden belastend und verzerrend wirken.

Dabei stehen in der Bibel keine prüden Aussagen! Im Hohenlied Salomos, einer Sammlung von Liedern und Gedichten, die bei Hochzeitsfeiern vorgetragen wurden, werden mit wechselnden Rollen und Bezeichnungen die Schönheit von Braut und Bräutigam und der Liebreiz der körperlichen Merkmale geschildert. Die Bibel will, daß Mann und Frau aneinander Gefallen finden. Sie sollen die gemeinsame Liebe genießen und sich an ihr freuen. Die eigene Frau ist wie ein Brunnen frischen Wassers. Die Bibel ist keineswegs leibfeindlich, wie man ihr oft unterstellt hat. Anderthalb Jahrtausende Kirchengeschichte haben zu immensen Verdrängungen biblischer Wahrheiten geführt und die heute dem Christentum nachgesagte Leibfeindlichkeit hervorgebracht. Gehen wir aber zurück zu den Quellen, so leuchtet uns aus der Bibel eine diesseitsfreundliche und körperbejahende Einstellung entgegen, zu der viele Christen erst noch zurückfinden müssen. Allerdings ist es falsch, anzunehmen, mit der Leibbejahung der Bibel ginge Zügellosigkeit einher.

Im Gegensatz zum alten Israel waren die es umgebenden Völker von sehr »freien« Einstellungen geprägt. Religiöse Praktiken, die in den Rahmen von Sexual- und Fruchtbarkeitskulten eingebaut waren, ermöglichten ein teils ausschweifendes, teils kultisch-rituelles Triebleben. Auch in neutestamentlicher Zeit, etwa bei den Korinthern, bereitete dies den Gläubigen erhebliche Nöte.

Der Untergang von Sodom und Gomorra sowie die Reden der Propheten machen deutlich, wie sehr Gott solch sexuelle Freizügigkeiten mißbilligt. Diese standen nämlich im Widerspruch zu dem, was Gott in seiner Güte und Voraussicht für gut verordnet hatte.

Der heute beliebte Trend zur Nacktheit führt zu einer Geringschätzung all der für ein dauerhaftes Zusammenleben so unerläßlichen Werte wie Treue, Ehrlichkeit, Offenheit, Zuverlässigkeit usw. Die Visualisierung der fremden Nacktheit führt zur Phantasieverarmung. Durch das Konsumieren vorgegebener sexueller Standards werden Verhaltensmuster entwickelt, die oft an die eigene Ehe angelegt werden und die sich fast immer belastend auswirken. Den Menschen, den man geheiratet hat, beraubt man der Chance, als Person angenommen und geliebt zu werden. Statt dessen wird er mit Leistungsnormen gemessen, die von woanders hergeholt sind. Er wird somit immer mehr zu einem Lustobjekt degradiert, das den Fremdphantasien des Partners dienen soll.

Das von Kinsey sowie Masters und Johnson wissenschaftlich erforschte Sexualverhalten der amerikanischen Bevölkerung hat viele Erkenntnisse gebracht. Zugleich aber wurden die Ergebnisse von interessierter Seite aufgegriffen, um für zahllose Aufklärungs- und Anleitungsbücher verwendet zu werden. Es werden zunehmend Sexualtechniken angepriesen, mit denen die »Liebe« angeblich noch schöner sein soll. Ein Heer von Sexualleistungsbeflissenen stürzt sich darauf, angeblich weil dadurch auch die Partnerschaft gefestigt und das sexuelle Erleben vertieft wird. Die Beglückung durch bestimmte Sexualtechniken währt jedoch nicht lange; denn bald erfährt man per Buch, Zeitschrift oder Video, daß ein noch tieferes Erleben möglich sein kann. Da dies mit dem bisherigen Partner nicht klappte, neigt man nun dazu, diesen auszutauschen. Der Mensch als Gottesgeschenk und Lebenspartner wird aufgegeben, das Sexuelle entwickelt eine Eigendynamik als Selbstzweck.

Die Aufweichung innerer Barrieren hat indes schon lange vorher stattgefunden, indem eine großangelegte Manipulation seitens der Werbebranche die ureigensten Instinkte des sexuellen Geltungsbedürfnisses ansprach. Der Besitz bzw. Erwerb eines bestimmten Produkts wird unterschwellig mit der hierdurch zu erlangenden sexuellen Potenz in Verbindung gebracht. Für ein »sportliches« Auto macht man mit keiner Oma Reklame, sondern mit einem verführerischen Mädchen.

Das Konsumieren visueller Eindrücke sowie das Für-wahr-Halten dessen, was eine raffinierte Sexwerbung anbietet, bringt Gewöhnung. Damit die Menschen nicht abstumpfen, werden die sexuellen Reizwirkungen gesteigert. Wo man für Zartes nicht mehr empfindsam ist, muß Derbes, ja Obszönes her. Partnertausch und Gruppensex wurden abgelöst durch sodomistische Handlungen. Die als Steigerung nur noch mögliche Einbeziehung sexueller Praktiken in Rituale satanischer Feiern offenbart, aus welch dunklen Kanälen die heutige »Sexuelle Revolution« gespeist wird.

Hiermit entsprach sie der List des Verführers in 1. Mose 3,1, der den Menschen auf seine Emanzipation von Gott ansprach, indem er ihm suggerierte: »Sollte Gott gesagt haben...?«, d.h. »Sollte Gott es tatsächlich so ernst und eng gemeint haben...?« Als »aufgeklärter« Mensch ist man ja heute allzu leicht geneigt, vieles ungeprüft zu übernehmen, wenn es nur neu ist.

Der Geist der Rebellion, der zum Sündenfall führte, ist auch heute überall dort am Wirken, wo die ethischen Normen der Bibel außer acht gelassen und auf dem Altar des »Fortschritts«, der Modernität und der »Selbstverwiklichung« geopfert werden.

Jesus sagt:„Das Auge ist das Licht des Leibes. Wenn dein Auge klar ist, so wird dein ganzer Leib licht sein. Wenn aber dein Auge böse ist, so wird dein ganzer Leib finster sein. Wenn nun das Licht, das in dir ist, Finsternis ist, wie groß wird dann die Finsternis sein!" (Matthäus 6,22 u. 23) Dies bedeutet: unsere Augen sind wie Fenster, die den Blick von innen nach außen und von außen nach innen ermöglichen.

Wer pornographische Eindrücke visuell konsumiert oder entsprechende Literatur liest, verunehrt seinen Schöpfer und erniedrigt den Menschen, auf den er das so »Gelernte« anwendet. er ist ein »Infizierter«, dessen Infektion emotionaler Destabilisierung dazu beitragen kann, dem Gemeinwesen auf Dauer zu schaden.

Es ist *nicht wahr,* daß wir in diesem Schmutz immer bleiben müßten. „Das Blut Jesu Christi macht uns rein von *ALLER* Sünde" (1.Johannes 1,7). Es macht uns *FREI* von aller begangenen Sünde, und es wapnet uns zugleich für den vor uns liegenden Kampf mit weiteren Anfechtungen. Wir können den »alten Menschen ablegen und den neuen Menschen anziehen", der an Christus ausgerichtet ist (Epheser 4,22-24).„Aber in dem allen überwinden wir weit durch den der uns geliebt hat" (Römer 8,37). In der Nachfolge Jesu wird uns der Sieg über Sünde und Anfechtung geschenkt.

Paßt euch nicht den Maßstäben dieser Welt an! Laßt euch vielmehr im Innersten von Gott umwandeln! Laßt euch eine neue Gesinnung schenken! Dann könnt ihr erkennen, was Gott von euch will. Ihr wißt dann, was gut und vollkommen ist und was Gott gefällt." (Römer 12,2 –).

AIDS und die Konsequenzen

AIDS droht zum Schrecknis zu werden. Mit alarmierenden Zahlen gehen noch alarmierendere Ängste um – noch nie scheint es eine so unheimliche, furchtbare, schnell um sich greifende Krankheit gegeben zu haben, vor der Menschen so viel Angst hatten, weil sie mit einem schrecklichen Ende verbunden ist und gegen die es bis heute kein wirksames Heilmittel gibt.

Und diese gewaltige, bedrohliche und ängstigende Krankheit, die sich allmählich über den ganzen Erdball verbreitet, die Staatsregierungen, Krisenstäbe und natürlich Universitäten und Forschungsinstitute, Krankenhäuser und Poliktiker beschäftigt, Zeitungen und schlaflose Nächte füllt – selbst bei den Nichtbetroffenen –, scheint nur mit einem Mittel bekämpft werden zu können: mit dem Kondom. In unzähligen Inseraten, Werbebroschüren, Rundfunk- und Fernsehappellen wird dieses bisher schamhaft im Dunkeln versteckte Attribut moderner Partnerbeziehungen nun wie ein Retter in höchster Not hervorgezogen und sogar über den Bildschirm vor Millionen Zuschauern vorgeführt.

Die Todesangst – oder ist es nur die Massenhysterie? – macht es möglich. Sie ist es aber auch, die offenbar das Denken aufs äußerste einengt und auf diesen alles andere als festen Punkt schrumpfen läßt; als wenn es nichts anderes gäbe, was die unheimliche Epidemie steuern, der Erkrankung vorbeugen und dem Verhängnis in die Speichen fallen könnte. Und in der Tat handelt es sich um ein Phänomen, das mit den augenblicklich vorhandenen Mitteln nicht besiegt werden kann.

Inzwischen sollte aber Zeit genug vergangen sein, um auch tiefer über Ursachen und Zusammenhänge nachzudenken. Wer sich – was das Thema AIDS angeht – von der herrschenden Kondomanie nicht anstecken läßt, muß irgendwann auf den Gedanken kommen, daß diese neue unheimliche Krankheit den Menschen am tiefsten Punkt seiner Existenz berührt, ja die Menschheit selbst vielleicht sogar an den Tiefpunkt ihrer Geschichte zu führen vermag. Rilke kommt einem in den Sinn, der in seinem »Brief des jungen Arbeiters« die Sexualität und ihre Entstellung umschrieben hat, »obwohl wir doch aus diesem tiefsten Ereignis hervorgehen und selbst wieder in ihm die Mitte unserer Entzückungen besitzen..., warum läßt man uns im Stich, dort an den Wurzeln alles Erlebens? Wer uns dort beistände, der könnte getrost sein, daß wir nichts weiter von ihm verlangten«.

Heute scheint dieser Beistand nötiger denn je. Aber soll er sich allen Ernstes darin erschöpfen, den Menschen zu raten, Kondome zu benutzen und zu fördern, solche sogar schon an Schüler auszugeben? Bedeutet das nicht – wenn auch ungewollt – eine Einladung zum »Ausprobieren«? Und die sich diesem Trend in der Klasse nicht anschließen, sind das dann die Außenseiter? Fliegt hier jede Sexualethik in allen Gesellschaftsschichten wie unnützer Ballast über Bord? Wird hier nicht eben jenes Verhalten, welches die unheilvolle Verbreitung von AIDS erst ermöglicht hat, nämlich der wahllose Partnerwechsel und die ungehemmte sexuelle Betätigung, als selbstverständlich und akzeptabel vorausgesetzt? Widerspricht es nicht aller medizinischen Heilpraxis, nur die Symptome zu bekämpfen und die Ursachen außer acht zu lassen? Gewiß will man Vorbeugung und Verhütung, aber den Mut, an die Wurzeln des Übels und der Gefahr zurückzugehen, scheinen zumindest die Politiker und Publizisten zu diesem Thema nicht zu haben.

Sicher darf die Notwendigkeit raschen Handelns und wirksamer Hygiene nicht verkannt werden. Sicher sind daher auch unkonventionelle und bisher aus Gründen moralischer Ästhetik diskreditierte Mittel in Betracht zu ziehen und womöglich zu empfehlen. Aber dies entschuldigt noch nicht die Gedankenlosigkeit und den Mangel an innerer Gründlichkeit, wenn man alles Weitere vollkommen darüber vergißt. Auch an dieser Stelle soll keine Moral propagiert werden, die die meisten doch nicht einhalten. Erst recht soll keine Schadenfreude an den Tag gelegt werden, etwa in dem Sinne: Das entspringt doch eurem gottlosen Lebenswandel; es ist ein Urteil Gottes; wer sich die Krankheit holt, hat selbst schuld. – Pharisäertum und Schadenfreude sind angesichts der tragischen Schicksale, die Menschen mitten unter uns erleiden, unangebracht und unchristlich über alle Maßen.

Wenn wir also nüchtern und bewußt dem Problem an die Wurzel gehen, so geschieht dies vor allem, um möglichst vielen zu helfen, nicht nur vor Ansteckung bewahrt zu werden, sondern darüber hinaus auch von Angst und Panik freizukommen. Denn selbst wenn die Angst im Augenblick der beste Verbündete gegen die Ansteckung zu sein scheint, so wäre dies im Grunde eine menschenunwürdige Reaktion, die keineswegs geeignet ist, die Gefahr auf Dauer zu überwinden.

An dem Phänomen AIDS mit all seinen Folgerungen und Bedrohungen treten vor allem zwei Dinge zutage, die als grobe Irrwege menschlicher Sexualität gekennzeichnet werden sollten und ohne die es keine Ansteckungsgefahr gäbe: die Aggressivität und die Promiskuität, die sich mit der menschlichen Sexualität verbünden können und sie dabei zutiefst verändern, verfälschen und verderben.

Da die AIDS-Ansteckung vorwiegend über Blutkontakte erfolgen kann, sind es vor allem die aggressiven Praktiken im Bereich der Sexualität, die hier als Übertragungswege eine Rolle spielen. In jedem Fall sind es der Partnerwechsel, der Umgang mit Prostituierten, der Austausch der Nadel unter Rauschgiftsüchtigen sowie der Verkehr zwischen Homosexuellen, der mindestens den explosiven Anteil an der Verbreitung ausmacht. Damit sollen Minderheiten nicht dem allgemeinen Beschuß ausgesetzt und in ihrem zweifellos schweren Lebensschicksal zusätzlich gedemütigt werden. Zugleich muß aber deutlich sein, daß an diesen beiden Punkten, der Aggressivität und der Promiskuität, jene Menschlichkeit des Geschlechtlichen gesprengt und verlassen wird, die eigentlich ihr tiefstes Wesen ausmacht.

Die menschliche Sexualität ist aufs engste an die Liebe der Partner gebunden. Sie reicht über den Zweck der Fortpflanzung weit hinaus; sie befriedigt nicht nur Lustbedürfnisse, sondern sie ist auch die umfassende leib-seelische Sprache der Liebe, die das Vokabular der gesprochenen Sprache übersteigt. Denn Sexualorgane sind nicht nur Fortpflanzungs- und Sinnesorgane, sie sind vor allem auch Sprachorgane, mit deren Hilfe Menschen einander auf eine so intensive, innige und intime Weise wie nirgends sonst sagen können, daß sie sich lieben. Sexualität ist die Grundenergie, die die Schöpfung den Liebenden zur Verfügung stellt, sie ist ein Geheimnis der Ehe, die vitale Spannung, die die Ehepartner immer wieder zueinanderführt und miteinander vereinigt.

Gott hat damit etwas Schönes und Bereicherndes geschaffen für zwei Menschen, die sich in einer festen Bindung lieben und vertrauen. Dieses beglückende Empfinden wird zum Geschenk, das die Gemeinschaft fördert und erhält. Diese Gemeinschaft umschließt das Geistige und Seelische in einem besonderen Bund der Verantwortung, der Leidenschaft, der Faszination und Bezauberung, die alle geschöpflichen Ursprungs sind und die ihre höchste Vollendung erst in der ausschließlichen Liebe zweier Menschen, also in der Paarbeziehung der Ehe von Mann und Frau finden.

Wer die Liebe aus dieser Schöpfungseinheit herausreißt, reduziert ihr Wesen, paralysiert und pervertiert ihre eigentliche Bestimmung und geht damit das Risiko seelischer und körperlicher Bedrohung ein. Bindungsunfähigkeit und Gefühlsverlust sind die heute verbreiteten seelischen Leiden, die in der Negativbilanz erotischer Promiskuität zu verzeichnen sind: Enttäuschung, Erkaltung und Geschlechterhaß. Und auf der körperlichen Seite stehen neben Impotenz und Frigidität die Geschlechtskrankheiten, von den maßlos verbreiteten Pilz- und Herpeserkrankungen über Tripper und Lues bis hin zu der furchtbarsten Geschlechtskrankheit der Geschichte: AIDS. So kann gerade das schönste Gebiet körperlicher Gemeinsamkeit von grausamsten und brutalsten Plagen befallen werden. Kaum etwas ist so schreckensvoll und erbarmungslos bis hin zu qualvollen Todesstunden.

Solche Erkrankungen sind die sichtbaren Geißeln, die an den Grenzen des Weges warten, der der menschlichen Liebesbeziehung bereitet ist. Wer sie überschreitet, muß wenigstens wissen, welches Risiko er eingeht. Und umgekehrt muß man es deutlich sagen, daß der heilsame Schutz geborgener und erfüllter Liebe nebst dem Glück, das sie vermittelt, die sicherste Garantie ist, nicht zu erkranken. Treue – sie ist doch kein leerer Wahn. Sie ist die Wahrheit und ist die in Wahrheit beste, menschlichste und darum eigentlich erste und einzige Bekämpfungs- und Vorbeugungsmaßnahme gegen die Furcht und Panik erzeugende Seuche.

Das Besondere der Schöpfung wird auch in besonderer Weise geschützt. Die Wegweisung der Gebote Gottes gewinnt eine neue Dimension. Was Gott vorlegt, hat Sinn und Zweck, aber auch Konsequenz. Das Schönste zwischen Partnern wird sonst zum Schrecklichsten, dazu noch zum Unheilbaren.

Die AIDS-Wirkung und die Kondom-Werbung sind in der Öffentlichkeit ein Schock. Keiner weiß mehr, was recht und moralisch ist. Jeder spürt, daß unsere Gesellschaft zerbricht. Ethik ist nicht gefragt. Das Sexualleben ist rundum kaputt. Das besondere Gute ist zerbrochen.

Sind diese Ereignisse nicht ein Ruf zurück? Die Weisung Gottes ist keine saure Vorschrift der Zukurzgekommenen, geboren aus Neid und Mißgunst. Sie ist vielmehr der Ratschlag eines gütigen Gottes zu einem gesunden und glücklichen Leben. Man braucht sich nicht daran zu halten, aber man kann sehen, ja man muß drastisch am eigenen Leib fühlen, wohin man damit kommt. »Der Tod ist der Sünde Sold«, sagt der Apostel Paulus (Römer 6,23).

Gewiß hat er dabei nicht an AIDS gedacht, aber die Unerbittlichkeit der Logik, die sich über die Gebote, also die berechtigten Grenzen zum Schutz des Menschlichen, hinwegsetzt, behält ihre Gültigkeit und beweist sie heute in einer einmaligen und einschneidenden Schärfe.

Sollten wir diese Botschaft überhören? Ist das bewußte, liebevolle und entschlossene Bekenntnis zu einem Partner, den zu lieben sich lohnt, etwas so Unzumutbares? Ist das nicht gerade die Voraussetzung für Glück und Erfüllung? Ist Zuwendung nicht mehr als Verzettelung? Und wenn in einer Welt, die an die Grenzen des Wachstums gerät, heute ohnehin die Botschaft »Weniger ist mehr« verkündigt werden muß, so sollte dies auf dem intimsten und zentralsten Gebiet menschlicher Lebensführung nicht gelten?

Der Gummischutz kann wohl als notwendiges Übel und als technischer Ersatzbedarf akzeptiert werden, er ersetzt aber mit Sicherheit keine verantwortungsvolle Sexualerziehung und keine vor- und außereheliche Enthaltsamkeit sowie den Verzicht auf wechselnde Partnerschaften. Die Botschaft kann nicht stimmen: »Macht was ihr wollt, benutzt aber ein Kondom!« Mit Ethik und christlicher Lebenshaltung hat das nichts zu tun. Denn dieses Gebiet bedarf der besonderen Sorgfalt und Verantwortung.

Deutlich muß gesagt werden, daß auch der Gebrauch eines Kondoms nicht risikofrei ist. Wer meint, sich damit hundertprozentig absichern zu können, unterliegt unter Umständen einem lebensgefährlichen Irrtum. Bisher waren Kondome vorrangig Mittel der Empfängnisverhütung – einmal davon abgesehen, ob man dieser Methode sympathisch oder ablehnend gegenüberstand. Unstrittig war gleichzeitig, daß trotz verhältnismäßig hoher Sicherheit eine gewisse Versagerquote in Betracht zu ziehen war, etwa durch schlechtes Material oder durch Ungeschicklichkeit. Zu einem bestimmten, von Ärzten und Lehrbüchern immer wieder angeführten Prozentsatz versagt der Gummiartikel.

Derselbe Unsicherheitsgrad beträfe natürlich das Kondom als AIDS-Schutz, denn hier würde er genauso versagen. Erschwerend kommt noch hinzu: Ein Paar bedarf des Schutzes nur während einer gewissen fruchtbaren Zeit. AIDS aber ist an jedem Tag ansteckend. Die Versager- und Ansteckungsquote würde also – verstärkt durch aggressive Praktik – spürbar steigen. Kondome sind also keine »Lebensversicherung gegen AIDS«, wie Anzeigenkampagnen es versichern. Der Staat wird mitschuldig an der Erkrankung und dem Tode von Menschen, wenn er ein Mittel propagiert und eine Schutzmöglichkeit empfiehlt, die im Effekt so nicht vorhanden sind.

Das Ende der Maßlosigkeit, der Verzweiflung, der Quantität und des Pluralismus scheint gekommen zu sein. Rückbesinnung auf alles, was wesentlich ist, wird notwendig, Zeit für Zuwendung und Zärtlichkeit, Sinn für Qualität und Exklusivität sind angesagt. Mit der Konzentration der Kräfte, die auch in der Verbindung von Liebe, Sexualität und Partnerschaft liegen, werden die abgekühlten und oft teilnahmslos gewordenen Beziehungen zwischen den Menschen wieder an Wärme und Gehalt gewinnen und die Ehen an Bestand.

Der damit erreichte Gesundungseffekt reicht weit über die AIDS-Prophylaxe hinaus und kann zu einer Gesundung der in ihren geistigen Wurzeln kranken Gesellschaft führen und ihr ein Mehr an Glück, Erfüllung und Sinn geben. In der Vielzahl und Bedrohlichkeit der Gefahren steckt auch eine enorme Chance, die der Rückbesinnung und des Neuanfangs. Auch darüber darf einmal öffentlich nachgedacht werden.

Im Grunde weiß jeder, daß ein Leben ohne Grenzen und Beschränkung unmöglich ist. Die Handlungsfreiheit des einzelnen hört da auf, wo er den Lebensraum des anderen schädigt oder sein eigenes Dasein gefährdet. Die Gebote Gottes schützen den Menschen daher vor seinesgleichen – nicht selten vor sich selbst. Sie sind eine menschenwürdige Hilfe zur Disziplinierung des Lebens. Sicher kann dabei die persönliche Freiheit eine gewisse Einschränkung erfahren. Aber der Mensch bedarf der Grenzen, um leben zu können.

Wie berechtigt ist daher die fast unbekannte Seligpreisung der Heiligen Schrift: »Selig sind, die seine Gebote halten« (Offenbarung 22,14). Das bedeutet weder Last noch Bürde, noch Entmündigung. Gottes Gebote machen frei, tragfähig, selbständig innerhalb seines Willens. Eine Welt ohne Werte erhält durch den Willen Gottes Qualität.

Was ist »normal«?

Es gibt keine »Theologie der Geschlechtlichkeit und Liebe«. Es gibt die von Gott in der Bibel festgelegten »Normen« für menschliches Zusammenleben. Dementsprechend lassen sich die Sinngehalte von Geschlechtlichkeit nur in enger Rückbindung an den Sinn menschlichen Lebens überhaupt erschließen. Der Normbegriff ist nun aber kein Begriff der Bibel, sondern vielmehr ein Begriff der Rechts- und Naturwissenschaften. Jedes menschliche Miteinander bedarf der Normen und Gesetze. Sie haben Schutz- und Sicherungsfunktionen. Darüber hinaus weisen sie auf unverzichtbare Werte menschlichen Lebens hin. Menschliche Normen sind aber meist zeitbezogen und wandelbar. Daher sollte der im gesellschaftlichen Bereich gültige Normbegriff vom christlichen Verständnis her ergänzt werden.

Der Christ sieht sich in seinem Leben und Verhalten von Gott geführt und durch den Heiligen Geist geleitet. Er fügt sich in Gehorsam und Glauben den Maßstäben der Heiligen Schrift. Gleich einer Kompaßnadel, die zwar die Richtung angibt, ohne jedoch die konkreten Stationen des Weges zum Ziel genauer festzulegen, weiß sich der Christ vom Wort Gottes her auf einen Weg geschickt und auf ein Ziel hin berufen. Der gläubige Christ besitzt Zielangaben, die nicht unverbindlich sind, sondern als Aufrufe und Gebote zum Heil des Menschen aufgestellt wurden. Jesus selbst bezeichnet sich als »Weg, Wahrheit und Leben«. Die Aussagen des Neuen Testaments stellen keine unverbindlichen Ratschläge dar, sondern ernsthaft gegebene Wegweisung.

Solange der Christ seinen Blick auf Christi Gebote gerichtet hält, hat er auch im Nebel unklarer Moral den besten Kompaß, und er wird nicht behaupten, daß seine Hingabe an diese Gebote unannehmbar und unpraktikabel sei.

Doch was ist normal? »Normal« ist ein Mensch, wenn er dem Durchschnitt entspricht. »Normal« erscheint, was von der überwiegenden Mehrheit der Zeitgenossen akzeptiert und gebilligt wird. Ein normales menschliches Verhalten ist das, was »üblich« ist.

Eine christliche, biblische Lebensweise muß nun aber nicht immer dem entsprechen, was üblich ist. Wenn heute der voreheliche Geschlechtsverkehr »üblich« geworden ist, dann ist das eine für Christen nicht akzeptable Norm. Für die Gesellschaft sind Sexualkontakte ab 13 Jahren weithin normal.

Christen, die sich an das biblische Gebot der Treue halten wollen, durchbrechen die gesellschaftliche Normalität einer lockeren Moral.

Im Grunde stimmen christliche Maßstäbe selten mit den Normen der Zeit überein. Christen wurden und werden deshalb immer noch als gesellschaftspolitische Störenfriede empfunden. Das war fast zu allen Zeiten so, und daher rührten auch viele Christenverfolgungen, weil Christusglaube oft ein Fremdkörper in der Zeit war.

Christliche Normen passen nicht in unchristliche Normalität. Der Stil, die Prägung, der Christuskurs und geistliche Zuschnitt passen nicht zur propagierten Lebensart.

Darum ist es nicht gut zu erwarten, daß das, was von der Statistik als Durchschnittswert vorgegeben wird, Christen vorbehaltlos akzeptieren sollen. Christen sind von biblischen Maßstäben abhängig, während der »normale Zeitgenosse« dem Meinungsdruck der Gegenwart ausgesetzt ist. Er hat Angst, sein Verhalten zu ändern, wenn er damit in der Gefahr steht, sich zu isolieren. Er schließt sich eher Irrtümern an, als sich gegen die öffentliche Meinung durchzusetzen. Es gehört Mut, Entschiedenheit und Kraft dazu, andere Maßstäbe zu vertreten und anders zu handeln.

Natürlich tut es weh, verlacht, mißverstanden, als hoffnungslos konservativ abgetan und für unnormal erklärt zu werden. So ist das Festhalten an biblischen Maßstäben gerade heute unnormal. Doch was bedeutet es schon, wenn modernistische Pädagogen, Psychologen und Theologen biblische Wertmaßstäbe anzweifeln, als überholt abtun und madig machen? Befinden sich nicht auch Pädagogik, Psychologie, Medizin und Recht in einer Krise? Man kann doch beobachten, wie in diesen Wissenschaften Erkenntnisse innerhalb eines Jahrzehntes überprüft, ergänzt, korrigiert und verworfen wurden, wobei Fachleute vor lauter Unsicherheit und Kompromißfreudigkeit völlig verschwommene Lehrmeinungen von sich gaben. Auf die Begrenztheit der wissenschaftlichen Erkenntnisse sollte man achtgeben. »Unnormal« wäre es, wenn gläubige Christen sich von Umweltstatistiken, Reportagen und Verhaltensforschungen derart beeindrucken ließen, daß dadurch Aussagen der Heiligen Schrift zweitrangig und unvertretbar würden.

Das Verhalten des Christen ist für die Umwelt erstaunlich und ärgerlich zugleich, ebenso wie dessen Glaube selbst. Das Verhalten des Christen ist ein Teil seines gelebten Glaubens.

Schamgefühl und psychische Gesundheit

Das Schamgefühl ist eine empfindsame Urerfahrung des Lebens, die des Schutzes bedarf. Helmut Thielicke bezeichnete Scham als »ein Zeichen dafür, daß etwas Verwundbares zu schützen ist«. Fast zu keiner Zeit gab es so viel zur Schau gestellte Nacktheit wie heute. In Illustrierten, Filmen, Parks, Schwimmbädern und an den Stränden. Überall tummeln sich barbusige Sonnenanbeterinnen und überzeugte Nudisten. Jugendliche und Eltern fragen verunsichert nach Maßstäben, denn heute sind exhibitionistische Praktiken gesellschaftsfähig. In Jugendgruppen und Gemeindevorständen ist man hin- und hergerissen, ob man ja oder nein zur öffentlich propagierten Schamlosigkeit sagen soll. So finden sich Männlein und Weiblein gemeinsam unter Duschen und in Umkleidekabinen wieder, Nacktfeten werden gefeiert und Pettingspiele veranstaltet. In deutschen Städten baut man Badetempel, die Sehnsüchte und Traumwelten, Urlaubsatmosphäre, Schaulust und den Flair des Mondänen vermitteln sollen. Textilfreiheit ist »in«, und man macht einen Kult daraus. Ist es das Auge des Mannes, das hier marktgerecht bedient werden soll? Ist hüllenlose Selbstdarbietung harmlos? Was bedeutet diese optische Preisgabe?

Um Mißverständnissen vorzubeugen und eine sicher gemeinsame Überzeugung zu betonen: Im medizinischen, hygienischen und pflegerischen Bereich muß der menschliche Körper zugänglich sein. Der Arzt und das Pflegepersonal müssen um der Gesundheit und der Erhaltung des Körpers willen eventuell noch vorhandene Tabus fortschieben und entsprechend handeln.

Ich verstehe durchaus diejenigen, die der Natürlichkeit des Körpers Vorrang geben wollen. Man ist versucht, der These von der Natürlichkeit zunächst einmal zuzustimmen. Alles Verkrampfte, Gemachte und Gekünstelte ist unecht. Aber ist Natur als solche immer gut? Natur ist herrlich und schön, kann aber auch zerstörende Gewalten in sich bergen. Zum Beispiel das Feuer: Ohne Feuer könnte die Menschheit nicht leben. Aber welch entfesselnde Gewalten beherbergt dieses Urelement! Es kann vernichten und töten, kann Menschen verbrennen und Landschaften auslöschen.

Nein, Natur ist nicht nur schön, sie ist nicht nur gut. Natur kann sehr feindlich sein. Darum bändigt man das Wasser und zähmt das Feuer. Man diszipliniert, man schneidert ein Maß, man umfaßt die Elemente in einem bestimmten Rahmen, in Grenzbefestigungen. Sicherungen werden eingebaut. Mit dem Menschen ist es ähnlich. Die Körperlichkeit ist schön. Niemand bezweifelt das. Der Sexualtrieb des Menschen ist aber nicht nur schön, sondern manchmal auch notvoll. In vielerlei Hinsicht ist besonders der Mann angefochten von der Vermarktung des Körpers. Öffentlich dargestellte Körperlichkeit kann zur Not werden. Darum hat uns Gott auf Begrenzungen und Demarkationslinien aufmerksam gemacht: »Du sollst nicht begehren...« Ein auslegungsfähiges Wort und ein berechtigtes Anliegen!

Es ist wichtig und notwendig im Umgang mit Säuglingen und Kleinkindern, ein ungestörtes Verhältnis zum Körper zu haben. Gewiß sind hier manche Eltern noch nicht frei von Verklemmungen. Natürlichkeit mit eigenen Kindern ist angebracht, um die gegenseitige Leiblichkeit anzunehmen. Man wird mit Kindern auch über alle Organe des Körpers sprechen müssen. Bleiben wir wortlos, dann bleibt alles Geschlechtliche unbekannt, geheimnisvoll und gar unheimlich. Eltern wird es ein Anliegen in ihrer Erziehung sein, daß ihre Kinder zur geschlechtlichen Identität finden, die ihnen von Geburt an gegeben ist. Ohne Wissensvermittlung gibt es keine Erziehung und ohne Aufklärung kein geschlechtliches Geleit. Ohne Wissen entsteht kein Ge-wissen, ohne Kennen kein Aner-kennen.
Das Kleinkind braucht den Hautkontakt und spürt dabei Wärme und Geborgenheit. Eltern sollten diesen Hautkontakt nicht verweigern. Es gibt nichts Schöneres für Kinder, als bei Vater und Mutter zu kuscheln und zu schmusen. Es ist herrlich, miteinander ein richtiges Badefest zu veranstalten. Dann wird der unbekleidete Körper für das Kind nicht zu etwas Unheimlichem, das kindliche Neugierde erregt und womöglich gar Angst auslöst. Eltern werden jedoch vorsichtig sein und den unbekleideten Körper nicht »anbieten«, sondern nur in entsprechender Umgebung und in passenden Situationen ausgezogen auftreten.
Der Körper sollte für das Kind nichts Außergewöhnliches sein. Daran erfährt das Kind auch, wie es selbst einmal sein wird. Dadurch werden Ängste genommen. Auf diesen Anschauungsun-

terricht können später die Fragen und Gespräche aufbauen. Dabei ist jedoch immer die Inzestschranke zu beachten, die zwischen Eltern und Kindern nie überschritten werden darf. Es gibt eine deutliche Abgrenzung des eigenen Intimbereiches vor den Kindern. Diese Begrenzung wird dort überschritten, wo aus Nacktheit ein Kult gemacht wird (Freikörperkultur) und ein Zwang entsteht. Hier hört Natürlichkeit auf.

Es gehört zur leibfreundlichen Einstellung, daß Eltern die Intimsphäre der Kinder achten. Spätestens in der Pubertät kommt es bei der Nacktheit zu einer entwicklungsbedingten Scheu. Plötzlich entsteht das Bedürfnis, sich vor den Eltern zurückzuziehen. Man läßt sich dann nicht mehr gerne entblößt sehen. Die Jugendlichen werden sich ihrer Sexualität bewußt. Spätestens jetzt werden Eltern in der Frage der Nacktheit bewußte Zurückhaltung üben müssen.

Auf die Kindheitsphase sollte nachhaltig aufmerksam gemacht werden. Es kommt sehr darauf an, daß ein Kind hier sein natürliches Bedürfnis nach Wärme und Hautnähe befriedigen konnte. Hatte ein Kind dazu Gelegenheit, dann zehrt es über Jahrzehnte von diesem Geborgenheitsgefühl. Es wurde satt, »hautsatt«. Wurde das Kind jedoch nicht »hautsatt«, dann kann ein Nachholbedürfnis bleiben, das im späteren Leben möglicherweise sogar zum Exhibitionismus, zum »Sich-sehen-Lassen«, zum »Gesehen-Werden« oder zum »Selber-sehen-Wollen« (Voyeurismus) führt.

Das Schamgefühl ist Intimschutz. Der sexuelle Bereich ist ein Gebiet der persönlichen Begegnung, das nicht für die Öffentlichkeit bestimmt ist. Schamerziehung ist keine Abwertung des Geschlechtsbereiches, sondern eine Aufwertung von etwas Wertvollem, das zu schützen ist.

Es zeigt sich: Wer Textilien ablegt, legt nicht nur Kleider zur Seite. Wer Körperlichkeit preisgibt, enthüllt nicht nur die Leiblichkeit. Die Seele ist beteiligt. Die Psyche spielt mit.

Körperlichkeit in Form platter Nacktheit verdrängt Persönlichkeit. Die Schamschwelle hat im menschlichen Leben eine tiefe Bedeutung. Scham gehört zur seelischen Anatomie des gesunden Menschen. Sie ist wie ein Schutzwall für seelisches und sexuelles Empfinden. Die öffentlich legalisierte und geförderte Nacktheit baut die Schamschwelle ab und öffnet die Tür zur seelischen Gefährdung. Joachim Illies schreibt dazu: »Ein Mensch ohne Schamgefühl ist ein seelischer Krüppel, der für ein menschenwürdiges Dasein wenig gerüstet sein dürfte.«

Alles Leibliche greift tief auf das seelische Empfinden über, körperliche Entblößung ist auf Dauer eine seelische Preisgabe. Im Grunde fällt die notwendige Schambarriere nur in der Ehe zwischen zwei Menschen, die sich liebend erkennen. Das Sich-Öffnen, die Hereinnahme eines anderen in die Intimsphäre setzt eine Vertrauensbasis voraus, die so intim nur in der Ehe gegeben ist. Es wird seine Bedeutung haben, daß Gott selbst dem Menschen Kleidung machte und seine Scham schützte. An diesem biblisch-theologischen Vorgang kommt der nachdenkende Mensch nicht vorbei. 1. Mose 3,21:»Gott der Herr machte Adam und seinem Weibe Röcke von Fellen und kleidete sie.«

Bei der Kleidung spielen soziale und kulturelle Bedürfnisse eine Rolle.»Die Kleidung schafft im Zusammenleben der Menschen die nötigen Freiräume, Abstände, Respektierungen und Hinweise. Sie hat Signalwirkung. Jede Art Uniform oder Robe – sei es von Polizisten, Soldaten, Richtern, Priestern bis hin zum Maskierten im Kostüm und zur Dirne in ihrem Kleidchen – verschafft dem Träger einen Bereich, in dem er seines ›Amtes‹ walten kann. An solcher Kleidung ist für beide Seiten ablesbar, in welcher Absicht, Vollmacht und Pflicht, versehen mit welcher Kraft und Verantwortung der so ›Bekleidete‹ dem anderen begegnet. In seiner Robe kann der Richter peinlichste Fragen stellen. Gleiches gilt für den Seelsorger im Beichtgespräch und den Arzt. Das Respektieren der Würde und Bedeutung von bestimmten Versammlungen steht letztlich hinter dem dazugehörigen Verlangen nach angemessener Kleidung, die zu Recht erwartet wird in Gottesdiensten, Konzerten, Parlamenten, bei Hochzeiten und Festakten. Es hat einen tiefen Sinn, wenn Jesus im Gleichnis (Matthäus 22,12 f.) jemanden aus dem Festsaal hinauswerfen läßt, der ohne Hochzeitsgewand erschienen ist. Angesichts des Kleides, das die Scham verbirgt, werden Wandlungen und Wachsen möglich. In dem Sinne ist die Scham verwandelt in der Nächstenliebe« (Friedrich Thiele).

Es geht um Grundsatzfragen. Allgemein ist ein Sonnenbad angenehm, und die Sauna dient gesundheitlichen Zwecken. Wenn der Arzt dieses oder jenes empfiehlt, so sollte jedes medizinische Mittel freibleiben von unangemessener Prüderie. Jedoch wissen wir auch über uns, gern einen Vorwand zu suchen, um das auszuloten und zu genießen, was die Bibel schlichtweg »Augenlust« nennt. Hier geht es dann um die Verschiebung der Schamgrenzen und um den geistlichen Gehorsam dem Evangelium gegenüber.

Es kann sein, daß dem Christen hier andere Kriterien gesetzt werden. Nicht die große Freiheit ist für Christen hier ausschlaggebend, sondern die menschliche Triebstruktur, die manipuliert werden kann. Dazu Tobias Brocher: »In Wirklichkeit erleidet echte Intimität unter der Technisierung und Kommerzialisierung von Sexualität als Konsumprodukt ständig zunehmende Verluste. Unreflektierende Zeitgenossen empfinden einen gewissen Stolz über den Abbau von Tabuschranken im sexuellen Bereich, meist ohne zu merken, daß die scheinbar größere Offenheit gegenüber sexuellen Inhalten überwiegend dazu dient, den personalen Bereich besser verdecken zu können.« Durch die Senkung der Schamhürden wird die Einsamkeit gefördert statt überwunden.

Kleider wurden Menschen immer dann entrissen, wenn diese erniedrigt und versklavt werden sollten.

Sklaven wurden zur Nacktheit gezwungen, um besser verkauft zu werden, denn Nacktheit ist ein Mittel, um Macht über Menschen zu gewinnen. Das war vor Jahrtausenden so und ist heute noch so. Hier aus einem Bericht vom 2. Dezember 1985 (idea): »Wie aus Kirchenkreisen in der Hauptstadt Nicaraguas, Managua, verlautete, wurden zahlreiche Repräsentanten der Kirchen sowie freier evangelikaler Missionswerke plötzlich verhaftet und zermürbenden, oft über zwölf Stunden dauernden Verhören ausgesetzt, bei denen sie keine Nahrung erhielten. Einige seien, wie es weiter hieß, zusätzlich gedemütigt worden, indem man ihnen die Kleidung wegnahm.«

Das Schamgefühl ist keine gesellschaftsbedingte Eigenzüchtung des Menschen. Christa Meves hat daher u.a. folgende Thesen entwickelt:

1. Das Schamgefühl gehört zur angeborenen Grundausstattung des Menschen
Bei psychischen Erkrankungen und Abnormitäten kann das Schamgefühl fehlen, z.B. können Schizophrene in aller Öffentlichkeit urinieren, masturbieren, sich mit Kot beschmieren und ihn sogar essen. Darum formulierte Sigmund Freud: »Abwesenheit von Scham ist ein sicheres Zeichen von Schwachsinn.«

2. Das Schamgefühl korreliert mit der Entfaltung der Person und dient ihrem Schutz
Die Anlage, sich zu schämen, ist in den Erbinformationen vorhanden. Das Schamgefühl erfüllt die notwendige Funktion. Es schützt vor Bloßstellung, vor Ein- und Übergriffen, aktiviert die Abschirmung.

3. Schutz vor Beschämung durch Umhüllung körperlicher Defekte und seelischer oder charakterlicher Mängel
Der Mensch will nicht zum beschämenden Blickfang für andere werden. Er will nicht seinen vitalen Trieben hemmungslos ausgeliefert sein.

4. Schutz vor Beschämung durch Umhüllung auch geistiger Mängel
Schmutzig empfundene Phantasien können sich aufdrängen und schamhafte Erregungen auslösen, die als unerträglich empfunden werden. In diesen Fällen kann es zur geistigen Blockade kommen. Es entsteht eine Verdrängung, die in vielen Fällen die Geisttätigkeit generell lähmt, was von den Betroffenen dann als Verlust ihrer Konzentrationsfähigkeit erfahren wird. Psychologen und Psychiater wissen von der Behandlungsbedürftigkeit besonders junger Menschen in dieser Hinsicht.

5. Die Sonderstellung des sexuellen Schamgefühls
Das sexuelle Schamgefühl hat eine beschützende Funktion, nämlich den Menschen davor zu bewahren, durch Auslieferung an seine Sexualität Schaden zu nehmen.

Ein gut entwickeltes Schamgefühl ist Ausdruck bewahrender Selbständigkeit. Preisgegebene Scham ist Selbstverlust. Auch das innerste Wesen menschlicher Liebesgemeinschaft zwischen Mann und Frau kann verfälscht werden. Denn jede nackte Gemeinschaft zwischen Mann und Frau wird in ihrem innersten Wesen pervertiert, wenn das Auge eines Dritten oder einer Gruppe dabei ist. Die ganzheitliche personale Beziehung ist ein ausschließlicher und ungestörter Besitz der Liebenden. Jeder Einbruch in die Intimsphäre zerstört harmonische Zweisamkeit. Die Schönheit des menschlichen Körpers, die Nacktheit als ungeschützte Menschlichkeit ist im Falle eines Ehepaares, das sich wirklich liebt, etwas Natürliches. Gerhard von Rad unterstreicht: »Der Schutz der Scham ist eine Ordnung der göttlichen Barmherzigkeit«.

Selbstbefriedigung

Über dieses Thema zu schreiben, ist nicht einfach, da die Meinungen darüber weit auseinandergehen.

Ich will mit der humorvollen Seite beginnen, nämlich mit der Erklärung dieses Themas in medizinischen Büchern um die Jahrhundertwende:»Der Herd dieser Krankheit befindet sich im Rückenmark. Oft sind es jungverheiratete oder lüsterne Menschen, die davon betroffen sind. Sie magern ab, siechen dahin und erliegen letztlich dem Fieber.«

Diese Aussagen über die Selbstbefriedigung, auch Masturbation genannt, sind in keinem Fall richtig.

Die Bibel spricht nicht über dieses Thema. Deshalb kann man auch nicht auf entsprechende Bibelstellen hinweisen. Fälschlicherweise wird bei diesem Thema oft die Geschichte Onans aufgegriffen, die wir in 1. Mose 38 finden. Hier geht es jedoch nicht um Selbstbefriedigung, sondern um einen unterbrochenen Geschlechtsverkehr, auch»Coitus interruptus« genannt. Onan weigerte sich, seinem verstorbenen Bruder die Nachkommenschaft zu sichern, wie es damals Pflicht war.

Wer befriedigt sich selbst?

Betroffen von der Selbstbefriedigung sind alle Altersgruppen und beide Geschlechter. Es erreichen mich sowohl Briefe von dreizehnjährigen Mädchen als auch von älteren Männern.

Warum befriedigt man sich?

Die Ursache ist meist eine unkontrollierbare sexuelle Spannung. Diese Spannung ist um so größer, wenn man das Erlebnis eines normalen Geschlechtsverkehrs schon kennengelernt hat. Ich will einige Gründe anführen, die den Menschen in verschiedenen Altersstufen zur Masturbation führen.

Der Jugendliche: Während der beginnenden Pubertät erwachen seine sexuellen Gefühle. Diese sind bei Jungen weit stärker als bei Mädchen. Da in der heutigen Gesellschaft die Sexualität hochgespielt wird, lebt der junge Mensch in ständiger Konfrontation damit: Kinoplakate, Illustrierte, Werbung, Fernsehen. Seine sexuellen Gefühle werden ständig neu entfacht. Die Selbstbefriedigung bedeutet für ihn dann ein Ventil, um diese Spannung zu lösen. Oft bleibt jedoch ein Schuldgefühl zurück, das ihm niemand eingeredet hat und das die Gesellschaft zu verdrängen sucht.

Die unverheiratete Frau und der ledige Mann haben mit ähnlichen Problemen zu kämpfen. Bei ihnen ist es nicht die erwachende Pubertät, sondern oft Ehelosigkeit, die ihnen zu schaffen macht. Es ist das Gefühl der Einsamkeit, des Alleingelassenseins, aus dem man sich hinauströsten will und das dann häufig in die Masturbation führt. Auslöser sind dabei oft Versagenserlebnisse im Beruf, Zurückgesetztwerden vor anderen usw.

Für manche ist die Masturbation ein Ausweg, um nicht ständig von unreinen Gedanken verfolgt zu werden. Ich möchte hier das Wort des Paulus aus 1. Korinther 7 umändern. Er sagt:»In der Ehe leben ist besser, als von Begierde verzehrt zu werden.«

Die schwangere Frau. Während der Schwangerschaft geht die Frau durch eine besondere Zeit. Oft kommt die ganze Gefühlswelt durcheinander. Häufig fühlt sie sich unverstanden. Hinzu kommt, daß durch den Vorgang des wachsenden Lebens in der Gebärmutter der ganze Genitalbereich vermehrt durchblutet wird. Auch in ihr entsteht manchmal das Verlangen nach Selbstbefriedigung.

Auch der *verwitwete oder geschiedene Partner* befriedigt sich zu gewissen Zeiten selbst und wird dies als das kleinere *Übel* ansehen.»Lieber Selbstbefriedigung, als mit einer fremden Frau ins Bett gehen«, schrieb mir ein geschiedener Mann. Selbstbefriedigung wird hier als ein trauriges, unbefriedigendes, aber entspannendes Erlebnis angesehen.

Doch Selbstbefriedigung kann immer nur ein billiger Ersatz bleiben, da die Sexualität im tiefsten Grunde auf den Partner angelegt ist, auf menschlichen Kontakt, Verstehen und Verstandenwerden, also Kommunikation.

Hält Selbstbefriedigung den Menschen auf längere Zeit gefangen, so ist sie ein Symptom von Kommunikationsschwierigkeiten und von Liebesdefizit. Bei der Selbstbefriedigung bleibt unklar, welche Rolle man spielt. Man ist dabei nämlich gleichzeitig der Gebende und Empfangende. Der Geschlechtsverkehr öffnet für den Ehepartner, Selbstbefriedigung dagegen treibt in die Isolation.

Die Folgen einer solchen »Beziehung«

Selbstbefriedigung verstärkt die *Selbstsucht.* Man ist geneigt, alles Negative auf sich zu beziehen. Dies ist hinderlich beim Aufbau einer tiefergehenden Freundschaft. Oft macht dies unfähig, Kontakte zu knüpfen, da man den Gedanken an ein Gegenüber, das eigene Entscheidungen hinterfragen könnte, nicht erträgt.

Selbstbefriedigung fördert die Flucht in die Welt der Illusionen. Man entzieht sich den Pflichten des Alltags. Langeweile wird »angenehm« unterbrochen. Man stürzt sich in eine Welt, mit deren Problemen man nichts zu tun haben will und an deren Problemlösung mitzuwirken man zu bequem ist. Paradoxerweise kommt man jedoch immer erneut an den Ausgangspunkt zurück: Aus Einsamkeit oder Langeweile oder Flucht von der Wirklichkeit »befriedigt« man sich selbst. Für kurze Zeit vergißt man den Alltag. Danach aber empfindet man die Einsamkeit mit noch größerer Macht, und die Langeweile scheint zu erdrücken. Selbstbefriedigung weist auf die Unfähigkeit hin, sich dem Leben zu stellen. Sie vermittelt dem Menschen den Trugschluß, Niederlagen und Enttäuschungen auf diese Weise »verarbeiten« zu können.

Führt Selbstbefriedigung auf Dauer zu einem Schaden für die Psyche?

Es gibt zwei Arten von Selbstbefriedigung. Die erste geschieht nur gelegentlich oder beschränkt sich auf eine kürzere Zeitspanne. Man kann sie als eine Etappe im Gefühlsleben ansehen oder auch als eine Art Sicherheitsventil in unserer von Erotik und Sex geprägten Welt. Sie wirkt quasi als Ausweg, um sexuelle Spannung abzubauen. Diese Art der Selbstbefriedigung führt in keine Abhängigkeit. Der davon Betroffene leidet nicht unter Verständigungsschwierigkeiten mit anderen Menschen und ist fähig, menschliche Beziehungen aufzunehmen und weiterzuführen. Ein Erfolg, ein Ortswechsel, der Wille, sich anderen Menschen zu öffnen, kann bei diesen Menschen den Wunsch nach Selbstbefriedigung mindern oder sogar völlig zum Verschwinden bringen. Diese Form der Selbstbefriedigung führt kaum zu einem Schaden für den Betroffenen, weil sie durch gute Umstände zur positiven Veränderung ohne weiteres beeinflußbar ist. Hier ist die Masturbation nur etwas Vorübergehendes, Zeitbedingtes, das das Leben nicht bleibend verändert.

Bei einigen Menschen dagegen wird Selbstbefriedigung zum *Dauerzustand*. Sie können ohne sie nicht leben, auch wenn sie unglücklich damit sind. Selbstbefriedigung wird zur Notwendigkeit. Sie ist das Symptom der Unfähigkeit, sich dem Leben und der Wirklichkeit zu stellen. Ihre Ausübung führt in immer stärkeren Kommunikationsmängel hinein. Die Fähigkeit, Kontakte aufzunehmen und Anschluß zu finden, nimmt immer mehr ab. Hier kreisen die Gedanken nur um sich selbst. Im Mittelpunkt steht das eigene Ich. Diese Form der Selbstbefriedigung kann dem betroffenen Menschen bleibenden Schaden zufügen. Man beginnt, Probleme mehr und mehr zu verdrängen, schließt sich von der Außenwelt ab und wird selbst zum Maß aller Dinge. Es kommt zu einer großen Vereinsamung, deren Kreis sich immer enger zieht.

Ist Selbstbefriedigung Sünde?

Diese Frage ist nicht einfach zu beantworten. Ich denke, daß Selbstbefriedigung »im Prinzip« keine Sünde ist. Sie kann ein Durchgangsstadium darstellen oder einen Ausweg bilden. Ich glaube aber, daß sie zur Sünde wird, sobald man durch ihre Ausübung das »Ziel verfehlt«, mit dem anderen zu kommunizieren. Selbstbefriedigung führt auf Dauer zu Isolation und Ichbezogenheit. Sie hindert uns an der eigenen Entfaltung. Wir können nicht in das Bild hineinwachsen, zu dem Gott uns bestimmt hat.

Was soll der Seelsorger tun?

Will man dem Menschen helfen, so darf kein Gedanke an Verurteilung aufkommen. Es muß ein tiefes Verstehen für den Betroffenen dasein.

Der Seelsorger braucht Verständnis und Einfühlungsvermögen. Er darf nicht drängen. Durch Erhellung der Lebensumstände entsteht bei dem Betroffenen oft ein Begreifen, warum er da hineingeraten ist. Er beginnt, sich selbst zu akzeptieren, und gewinnt Kraft zu einem neuen Anlauf. Mit vielen Schritten wird sein Selbstwert allmählich neu aufgebaut.

Durch die vielen Teilerfolge wird sein Kampfesmut stärker, und er gewinnt immer häufiger im Kampf gegen die Versuchung – bis sie ihm schließlich nichts mehr anhaben kann.

Der vorher Versklavte wird frei und kann sich öffnen für andere. Er wird auch frei für den Dienst Gottes.

Enthaltsamkeit vor der Ehe?

Junge Menschen erleben heute die totale Sexualisierung des Menschen. Sie werden schon als Kinder mit dem Sexus konfrontiert und als Jugendliche der Jagd nach sexuellem Erfolg ausgesetzt. So begegnet man vermehrt Mädchen im Teenageralter, deren Torschlußpanik sie zu frühen Abenteuern bereit sein läßt. Dazu kommt der Gruppendruck, der denjenigen jungen Menschen als »unnormal« verurteilt, der den allzu frühen Intimkontakt ablehnt. Die unmittelbare Umwelt des Jugendlichen ist durchsetzt mit erotischen Angeboten, gerade auch in Schule und Betrieb. Zur Lustlosigkeit zu lernen und zu arbeiten gesellt sich der Ausweg, sich sexuell stimulieren zu lassen.

Jugendliche schildern die Atmosphäre: »In vielen Betrieben sind die Toiletten versaut, die Wände bedeckt mit Zeichnungen und Sprüchen. Kein Meister kümmert sich darum.« – »Mich widern die Gespräche an, die in unserer Werkstatt geführt werden. Wenn ich das alles als 14jähriger hätte erleben müssen, dann wäre ich versackt.« – »Ich bin erst 17 Jahre alt, aber wo Männer und Frauen zusammenarbeiten und ein Azubi dabei ist, da wird es schlimm. Die Frauen sind manchmal gemeiner als die Männer.«

Diesem Druck können sich nur wenige Jugendliche auf Dauer entziehen, da sie meist von ihrer Umgebung abhängig sind. In vertraulichen Beratungsgesprächen wurde zugegeben, daß man zwar einen Freund habe, aber noch keinen intimen Umgang mit ihm. Das dürfen aber die Freundinnen nicht wissen, weil sonst die Betroffene als hoffnungslos rückständig, temperamentlos, ja frigide gelten würde.

Diese Situation führt dazu, daß sich Mädchen häufig nicht nur bereit zeigen, sexuelle Kontakte einzugehen, sondern sogar noch der aktive Teil werden. Es scheint eine Tatsache zu sein, daß nur noch ein kleiner Teil von Frauen und Männern ohne sexuelle Erfahrungen in die Ehe geht.

Dementsprechend mehren sich die Stimmen, selbst von Theologen, die die vorehelichen Beziehungen als selbstverständlich und normal hinnehmen und Enthaltsamkeit als einen verstaubten und veralteten Wertbegriff hinzustellen versuchen.

Es ist jedoch zu fragen, ob es nicht gute Argumente für voreheliche Enthaltsamkeit gibt, das heißt für Zurückhaltung, für Behutsamkeit, für Einfühlungsvermögen und vor allem für die Verantwortung, auf den Partner Rücksicht zu nehmen. Enthaltsamkeit ist ein Schutz für echte Liebe.

Wer nämlich die sexuelle Begegnung zweier Menschen nur als »Naturereignis« versteht, entwertet die Liebesvereinigung zu Konsum und zu Leistungssport, was weder der Liebe noch der Geborgenheit dient, die ja beide Partner suchen. Aufgrund seelsorgerlicher Erfahrungen läßt sich sagen, daß oftmals Frigidität der Frau eine Folge allzu früher und unbefriedigender sexueller Beziehungen ist.

Umgekehrt wird die spätere Ehe durch voreheliche Enthaltsamkeit keineswegs einen Verlust an Sexualität und sinnlichem Feingefühl erleiden, denn Beobachtungen zeigen, daß der Sinn für Zärtlichkeit und Liebesvariationen in der Ehe in enger Beziehung steht zu Sensibilität, Wartenkönnen und Feinempfinden eines Menschen. So wie es Treue *in* der Ehe gibt, so gibt es auch Treue *vor* der Ehe: einfach weil man weiß, daß es sich lohnt, auf einen Menschen zu warten, mit dem man alles teilen möchte. Enthaltsamkeit vor der Ehe ist keine Mangelerscheinung, sondern ein Ausdruck von Geduld, Stärke und Liebe, die warten kann.

Junge Menschen stehen in einem natürlichen seelischen und sexuellen Reifungsprozeß. Sie sollten diese Entwicklung in innerer Geborgenheit erleben und ein Recht auf Abschirmung vor unguten intimen Einbrüchen haben. Doch gerade in dieser Zeit werden junge Mädchen allzufrüh von ihren Freunden bedrängt, mit diesen zu schlafen. Aus Angst, den Freund zu verlieren, geben sie nach, obwohl sie sich im Grunde gar nicht reif fühlen für intime Zärtlichkeiten.

Andere werden von Empfindungen und Sehnsüchten übermannt. Sie denken nicht daran, daß Liebe kein Zusammentreffen von Egoisten sein darf, die die Befriedigung eigener Bedürfnisse suchen.

In unserer Zeit wird oft behauptet, daß die Befriedigung geschlechtlicher Triebwünsche so naturnotwendig sei, wie Hunger und Durst zu stillen. Enthaltsamkeit vor der Ehe sei deshalb naturwidrig. Namhafte Ärzte haben dagegen betont, daß eine solch pauschale Behauptung jeder wissenschaftlichen Grundlage entbehrt. So weiß man heute, daß die seelische Reife eines Menschen eng mit dem sexuellen Verhalten verbunden ist und daß davon das charakterliche Werden abhängig sein kann. Die

Formung seines Wesens wird mitbestimmt durch seine Fähigkeit, sexuelle Spannungen durchzuhalten und diese nicht in verfrühter Befriedigung abzubauen. Das unterscheidet ja den Menschen vom Tier, daß er nicht instinktiv seinen Trieben folgen muß. Dem Menschen ist die Aufgabe gestellt, seine Sexualität zu beherrschen und seine Triebe in »An-Triebe« umzuformen.

Die Verwirklichung geschieht jedoch nicht automatisch, sie bedarf der Disziplin und der Arbeit an sich selbst. Zur geistigen Menschwerdung gehört auch die Kultivierung der Triebstruktur.

Die Verführung durch Erwachsene oder raffinierte Jugendliche kann sexuelle Schäden hervorrufen. Selbst Eltern sind manchmal unbewußt daran beteiligt, wenn ihre Kinder eine falsche Wegweisung erfahren, sexuell labil oder andersartig werden.

Zu frühe sexuelle Kontakte wirken prägend auf die Psyche und können zu sexueller Hörigkeit führen. Verfrühte Sexualität ist ein schädigender Eingriff in die sich noch entfaltende Gefühlswelt der Jugendlichen.

Gerade für die Frau greift die erste sexuelle Hingabe tief in das seelische Leben ein und gestaltet dieses grundlegend um. Die Bindung an den ersten Partner kann sich bis in die Ehe hinein auswirken. Zitat: »Sexuelle Ersterlebnisse hinterlassen bleibende Spuren. Mädchen sind davon mehr betroffen als Jungen, so daß sie, wenn diese erste Beziehung auseinandergeht, oft gar kein richtiges Verhältnis zu einem anderen Partner finden können«, so der Psychologe Rudolf Seiß.

Petting ist kein mögliches Ausweichverhalten gegenüber intimen vorehelichen Beziehungen und schon gar nicht eine eigenständige Alternative dazu. Die Rede vom sexuellen Umgang der Geschlechter vor der Ehe durch abgestuftes Petting ist eine Phrase, weil es in keiner Altersphase gelingen wird, die emotionalen Unwägbarkeiten des Pettingspiels und des weitgefächerten sexuellen Intimverhaltens ohne seelische Schäden pädagogisierbar zu machen. Es ist eine Illusion zu meinen, hierdurch dem Jugendlichen die Gewißheit zu geben, »frei von Schuldgefühlen sich seiner Geschlechtlichkeit erfreuen« zu können.

Dem Heranwachsenden sollte zu seiner sexuellen Reifung der natürliche Schonraum nicht genommen werden. Wird dieser Reifungsvorgang durch verfrühte sexuelle Betätigungen unterbrochen, kann dies zu charakterlichen und seelischen Schäden führen.

Unter den Erwachsenen finden sich nicht selten Männer und Frauen, die psychisch in der Entwicklungsphase des Jugendlichen oder gar des Kindes steckengeblieben sind. Das charakterliche Reifen der Persönlichkeit bedarf einer erotischen Spannung, um zur Reife zu gelangen. Ein unzeitiges Ableiten des Spannungsgrades durch zu frühe intime Freundschaften kann daher die seelische und sexuelle Reifung des Heranwachsenden beeinträchtigen.

Die Disziplinierung menschlicher Triebhaftigkeit ist auf allen körperlichen Gebieten unumstritten. Ein gewisses Maß an Triebverzicht ist unvermeidlich. Das betrifft gewisse Einschränkungen während der Jugendzeit, die aber auch schon in den Kindheitsphasen praktiziert werden müssen.

Die Aufgabe der Eltern ist es, dem Kind verstehbar zu machen, daß man nicht alles und immer haben kann. Es wird ihm im späteren Leben zugute kommen, wenn es auf die Befriedigung triebbedingter Wünsche verzichten lernte.

Auch dem Erwachsenen in der Ehe ist die Befriedigung spontan auftretender sexueller Wünsche nicht immer möglich. Zurückhaltung und Rücksichtnahme können nur gelingen, wenn die Chance frühzeitiger Einübung wahrgenommen wurde. Nur so öffnen sich überhaupt erst die Möglichkeiten menschlicher Gemeinsamkeit.

Biologisch kann man sehr früh Vater und Mutter werden, seelisch jedoch sicher nicht. Wenn auch jährlich einige tausend Kinder Mütter und Väter werden, dann setzt dieses Geschehen mit Sicherheit noch keine »Partnerbindung« oder »die Liebe des Lebens« voraus. Hier haben wir es mit Unwissenheit, versäumter Aufklärung und Neugierde zu tun, nicht zuletzt mit Schuld der Eltern.

Auch im späteren Teenageralter bedeutet eine verfrühte sexuelle Praxis oder gar Mutterschaft eine kaum zu tragende seelische Belastung. Von einer »Einübung in ein glückliches Sexualleben« kann nicht gesprochen werden. Dabei wirken enttäuschende Liebesbeziehungen bei Mädchen nachhaltiger und tiefgreifender als bei Jungen.

Der geschlechtliche Umgang steigert auch nicht immer die Lebensfreude und den Genuß. Im Gegenteil: Trotz Verhütungsmitteln werden Mädchen häufig nicht fertig mit der Angst, doch ein Kind zu bekommen. Diese Angst kann zur Panik werden, wenn sich die Blutung verzögert. Mitunter stellen sich körperliche Funktionsstörungen, Appetitlosigkeit und ernste Schlafstörungen ein. Dazu kommt oft die tiefe Enttäuschung, daß zum jungen Mann trotz Geschlechtsverkehr kein entsprechender Vertrauenskontakt entstanden ist. Das, was sie eigentlich wollten, nämlich Zärtlichkeit, fanden sie nicht.

Lieben zu lernen heißt nicht, vorehelich die Lust erkunden und einüben zu wollen, was gar nicht zu erproben ist. Die Reifezeit zu seelischer Gefühlsvertiefung zu nutzen, die Persönlichkeit zu voller Erlebnisfähigkeit zu entfalten ist eine Aufgabe in dieser spannungsgeladenen Zeit. Von daher wird dann das echte Liebesbedürfnis entstehen und der Mensch gefunden werden, mit dem man die reife Liebe erlebt.

Intime Beziehungen als solche machen weder ehetauglich, noch können sie helfen, zueinander zu finden. Eine eheähnliche Erprobung der Partnerschaft ist nicht möglich, da die Situation vor der Ehe eine andere ist als in der Ehe. Schon von den äußeren Einschränkungen her sind die Bedingungen für Zärtlichkeiten meist ungünstig.

Selbst in der Ehe bedarf es eines langen und geduldigen Bemühens, um eine körperliche und seelische Übereinstimmung zu erreichen. Hier sind Ordungsstrukturen gegeben, die ohne Gefahr der seelischen Beeinträchtigung nicht übergangen werden können.

Eine objektive Prüfung des Partners ist kaum mehr möglich, sobald die Schamschwelle überschritten wurde. Die erste intime Begegnung schränkt klares Urteilsvermögen ein. Ab jetzt sind Selbstkontrolle und Eigeneinschätzung getrübt. Hier ist eine nüchterne Beurteilung, »ob man zueinander paßt«, kaum noch gegeben. Die psychische und sexuelle Abhängigkeit hat eingesetzt und vernebelt die klare Sicht auf die tatsächliche Realität der Partnereignung. Ein voreheliches Zusammenleben erschwert die Freiheit endgültiger Entscheidung.

Verlobung ist noch nicht die endgültige Bindung zweier Partner, sondern eine gegenseitige Prüfungszeit, die eine Freigabe des anderen durchaus beinhalten muß. Sind die seelischen Bindungen aber durch den Intimverkehr zu stark geworden, reicht die Erkenntnis, daß es besser wäre, sich zu trennen, nicht aus, um die Trennung zu vollziehen. Zärtlichkeiten in der Verlobungszeit sollten daher nur so weit gehen, daß ein Abbruch der Beziehung noch möglich ist, ohne daß schwer heilende Wunden gerissen werden. Auch im Zeitalter verbreiteter und fast perfekter Verhütungsmittel ist das unerwünschte Kind möglich. 85 bis 90 % aller Frühehen werden nur geschlossen, weil ein Kind unterwegs ist. Gerade die verfrühten und übereilt geschlossenen Ehen stehen besonders in der Gefahr der raschen Zerrüttung. Das zeigen die Scheidungsstatistiken. Nicht selten ist nach der Scheidung später auch gegen das gemeinsame Kind eine unüberwindbare Abneigung vorhanden.

Verfrühte, voreheliche Intimität geht zum Teil auf den körperlichen Triebdruck, besonders des jungen Mannes, zurück. Es besteht eine geschlechtsspezifische Verschiedenheit der Sexualität bei Mädchen und Jungen. Die unmittelbaren Bedürfnisse des Jungen richten sich mehr auf die körperliche Sexualität, die des Mädchens mehr auf seelische Geborgenheit. Das Durchhalten des Spannungszustandes verhilft zur charakterlichen Reifung. Zum Liebenlernen gehört, in dieser Phase dem spontanen Drang widerstehen zu können.

Viele Gespräche mit Mädchen zeigen auch, daß diese die zu frühe Intimität als Bedrängung und Angst erfahren. Im Grunde sucht auch der Mann nicht nur Sexualität, sondern Verstehen und Vertrauen. Es bleibt dahingestellt, ob das Mädchen wirklich in der Achtung junger Männer steigt, wenn es unbedenklich einwilligt.

Disziplin vor der Ehe ist sicher keine Garantie für Treue in der Ehe, aber sie kann zur Vorbedingung werden. Denn wer schon vorher mehrere Sexualpartner hatte, kann auch nachher ein sexuelles Bedürfnis gleicher Art verspüren.

Wer sexuell anders »programmiert« war, wird es nur schwer fertigbringen, sich ein Leben lang an eine Person zu binden.

Sexualität hat bei der Frau zu reifen in einem Werdegang, der nicht kraß eingeleitet werden darf. Der Prozeß des sexuellen Reifens erstreckt sich über eine gewisse Zeitspanne, kann mitunter ein bis drei und mehr Jahre beinhalten. Schon daran wird deutlich, daß dies vorehelich kaum möglich ist. Die Zeit, die Geborgenheit, die Ruhe, absolutes Vertrauen sind in dem notwendigen Rahmen noch nicht gegeben. Darüber hinaus kann ständiges Verhüten (durch die Pille) manchmal zu Unfruchtbarkeit führen, und weil vorehelicher Intimverkehr ständiges Verhüten erforderlich macht, kann bei einer Eheschließung dann das gewünschte Kind ausbleiben.

Im Neuen Testament wird über voreheliche Beziehungen direkt nicht gesprochen. Auf eine konkrete Bibelstelle kann nicht hingewiesen werden. Das hat seinen Grund. Voreheliche Intimbeziehungen stehen im Neuen Testament einfach nicht zur Debatte, sie gehören nicht in die Ordnung des Menschen, der bewußt Jesus Christus nachfolgen möchte. Dafür spricht das Neue Testament aber eindeutig und klar von der Ehe. Auch von Intimbeziehungen und der Freude der Körperlichkeit ist die Rede. Aber immer nur dann, wenn das Eheverhältnis gemeint ist. Und unter Ehe wird immer die unauflösliche Verbindung zweier Menschen verstanden.

Nur im Zusammenhang mit der Ehe ist dann auch von der intimen Gemeinschaft der Partner die Rede. Ja, hier wird sehr deutlich sogar von der Verpflichtung der Partner füreinander gesprochen (1. Korinther 7,3–5). Die Bibel nimmt das Thema »Ehe« also auf, aber immer geht es um die Einmaligkeit und Lebenslänglichkeit dieser Bindung.

Im übrigen sagt das Wort Gottes im ersten Buch Mose etwas darüber aus, daß Liebende nicht schon vor der Ehe einander alles schenken sollten: »Darum wird ein Mann Vater und Mutter verlassen und an seinem Weibe hangen, und sie werden ein Fleisch sein« (1. Mose 2,24). Das heißt nichts anderes als: erst wenn ein Mensch Vater und Mutter verlassen hat, wird er seinem Partner anhangen!

Mit »verlassen« ist dabei nicht nur der »Ortswechsel« gemeint. Durch Studium und Berufsausbildung ist heute der junge Mensch oft recht bald genötigt, rein geographisch sein Elternhaus zu verlassen. »Verlassen« im tieferen Sinn bedeutet mehr: eine gesicherte Verselbständigung und die Möglichkeit rechtlicher Absicherung bei Übernahme voller Verantwortung.

Die offene Gesellschaft erbringt auf dem Gebiet der Sexualität und des vorehelichen Verhaltens ein breites Angebot an Informationen. Meinungen stehen gegen Meinungen, und wir sollen danach unser Urteil bilden. Nicht selten sind wir dabei überfordert. Die Vielzahl der Meinungen ist von vielfältigen Interessen besetzt, die der einzelne nicht immer zu durchschauen vermag. So kommt es zur Meinungsmanipulation auch auf dem Sektor der Liebe und des Sexualverhaltens. Tests und Reports machen das durchschnittliche Verhalten zur Norm. Junge Menschen werden oftmals von daher unter Druck gesetzt. Man beugt sich gängigen Normen, obwohl man es eigentlich anders möchte.

Göttliche Maßstäbe laufen der öffentlichen Meinung zuwider. Biblische Leitlinien entsprechen oftmals nicht den Normen der

Zeit. Christen sollten sich an Christus gebunden fühlen und sich nicht ohne weiteres den Lebensformen dieser Gesellschaft unterordnen. Junge Christen sollten den Mut haben zum eigenständigen Leben, zur Bindung an ihren Herrn und sein Wort.

Liebe und Verantwortung gehören zusammen. Wer nicht Vorsicht, Zurückhaltung und Bereitschaft zum Warten mit seinem Handeln verbindet, meint nicht Liebe, sondern die Lust am Vergnügen. Zur Liebe gehört das Warten. Wer sich vom Abenteuer, von Neugier und Ungeduld bestimmen läßt, ohne die natürliche Reifung der Liebe abzuwarten, der erstickt mit ungestümem Drängen die Sehnsucht nach Geborgenheit. Vorbereitung auf ein Leben in Ehe und Liebe erfordert Zeit und Freude.

Liebe wird den Partner nicht zum Objekt seiner Triebe erniedrigen. Das bloße Wissen einer Sexualtechnik ersetzt nicht das Wunder wechselseitiger Zuneigung. »Liebe auf Probe« widerspricht sich selbst. Es ist nicht ratsam, eine Partnerschaft mit einem Menschen einzugehen, der die Liebe nicht ganzheitlich erwidern kann. Zur Liebe gehört auch ein großes Maß an Selbstlosigkeit.

Die verfrühte sexuelle Beziehung junger Menschen läßt keineswegs auf Selbstvertrauen und Sicherheit schließen, sondern vielmehr auf seelische Not und eine pädagogische Fehlsteuerung. Keinem jungen Menschen werden die Erfahrungen *vor* der Ehe bei der partnerschaftlichen Anpassung *in* der Ehe eine Hilfe sein. Das Erlebnis der Liebe ist auch etwas weit Größeres als die Stillung des körperlichen Verlangens.

Durch fehlgeleitete Sexualität schafft man nicht den befreiten und selbstbewußten Menschen, sondern den geschwächten und gebundenen. Mißbrauch von Sexualität macht zum Sklaven. Der so gebrochene und unfrei gewordene Mensch ist willfährig, biegsam und verführbar.

An dieser Stelle gilt aber auch das Wort: »Gott will, daß allen Menschen geholfen werde und sie zur Erkenntnis der Wahrheit kommen« (1. Timotheus 2,4). Das Evangelium gilt auch dem jungen Menschen in seinen Problemen vor der Ehe. Gott ordnet die Gegenwart und öffnet die Zukunft. Gott braucht junge Menschen mit Zukunft, nicht mit Vergangenheit. Das wäre ein guter Schritt: »Ich will mich aufmachen und zu meinem Vater gehen, denn ich habe gesündigt gegen den Himmel und vor dir«

(Lukas 15,18). Die Vergebung Gottes zerreißt Bindungen in der Vergangenheit. Man war schuldig vor Gott und den Menschen. Aber das Evangelium Gottes bringt die Ermutigung zum neuen Leben, zur Liebe in Verantwortung.

Ehe – erfülltes Leben erfahren

Was ist Ehe?

Vielleicht finden einige diese Überschrift lächerlich. Jedes Kind weiß doch, was Ehe ist! Doch wenn man einmal wirklich ernsthaft durchdenkt, was dieses Wort bedeutet, wird man sehr schnell merken, daß die Beantwortung der oben gestellten Frage so einfach nicht ist.

Das Wesen der Ehe zu verstehen ist eine entscheidende Voraussetzung, um moralische Normen abzuklären und eine fundierte Grundlage für eine christliche Sexualethik zu finden. Diese Behauptung läßt sich auf mindestens zwei Faktoren stützen: (1) Die Ehe ist eine *gesellschaftliche* Angelegenheit. Sie ist eine Vereinbarung, die nicht nur Mann und Frau betrifft, sondern auch andere Menschen – eben die Gesellschaft, in der das Paar lebt. (2) Die Ehe, wie Gott sie gemeint hat, betrifft das Paar in seinem Verhältnis zu *Gott*. Sie hat also neben der gesellschaftlichen auch eine theologische Bedeutung. Lassen Sie uns diese beiden Faktoren nun näher untersuchen, um herauszubekommen, inwiefern sie uns Aufschluß über eine Sexualmoral geben können.

Die Ehe in der Gesellschaft

Wenn unsere westliche Gesellschaft durch irgend etwas charakterisiert wird, dann durch die starke Betonung des *Individualismus*. Wir glauben, das Individuum müsse für seine Entscheidung größtmögliche Freiheit genießen. Unglücklicherweise übersehen wir dabei allzuoft, daß jedes Individuum auch eingebunden ist in seine gesellschaftliche Umwelt. Der Mensch ist eben nicht nur ein Individuum, er ist darüber hinaus untrennbar mit anderen Menschen verbunden. Die »soziale Frage«, die heute immer mehr in den Vordergrund gestellt wird, zeigt, daß man diese Tatsache mittlerweile erkannt hat. Individualismus in seiner ursprünglichen, fast naiven Form kann heute nicht mehr allen Ernstes vertreten werden.

Gleichwohl wird unsere Gesellschaft noch immer durch starke individualistische Züge geprägt, und das gilt besonders in bezug auf die Ehe. Zwei Menschen lieben sich – also heiraten sie. Was soll daran schwierig sein? Aber ist die Ehe wirklich so einfach? Schon in zweitklassigen Filmen sehen wir, daß die Ehe eben doch nicht bloß eine Angelegenheit zwischen den beiden jungen Menschen ist. Mindestens zwei weitere soziale Verknüpfungen kommen hinzu: Eltern und Freunde. In aller Regel geht es auch heute noch ohne Einwilligung der Eltern nicht ab. Nicht, daß diese Einwilligung durch das Gesetz vorgeschrieben wäre (soweit das Paar volljährig ist). Aber die Eltern und ihre Einstellung zur Heirat ihrer Kinder bedeuten einen starken sozialen Druck. Darüber hinaus ist ein junges Paar nicht selten auf finanzielle Unterstützung durch die Eltern angewiesen. Auch das spricht dafür, daß es sich bei der Ehe eben doch nicht ausschließlich um eine Angelegenheit zweier Menschen handelt.

Und was ist mit den Freunden und Bekannten? Junge Männer und Frauen legen viel Wert auf das Urteil ihrer Freunde, wenn sie von ihrer beabsichtigten Heirat erzählen. Und dieses Urteil ist nicht selten ausschlaggebend dafür, ob es wirklich zu einer Heirat kommt. Nahezu jeder, der heiratet, sucht auf irgendeine Art den Rat seiner Freunde. Man möchte einfach wissen, wie der Freund oder die Freundin über das Vorhaben denkt. Untersuchungen haben gezeigt, daß Scheidungen sehr oft Paare betreffen, die zuvor den Rat ihrer Eltern oder Freunde, die betreffende Person nicht zu heiraten, in den Wind geschlagen haben.

Die Ehe ist also keineswegs nur eine Beziehung, die zwei Menschen angeht. Neben den Interessen des jungen Paares gibt es noch die der Eltern und Freunde. Man kann sogar so weit gehen, zu sagen, daß eine Ehe erst dann wirklich existiert, wenn mindestens ein weiterer Mensch von ihr weiß.

In gesellschaftlicher Hinsicht erlangt eine Ehe also erst ihre Gültigkeit, wenn sie öffentlich gemacht wurde. Diejenigen, die sexuell miteinander verkehren, bevor sie ihre Verbindung öffentlich bekanntgemacht haben, können also nicht davon ausgehen, aus gesellschaftlicher Sicht als verheiratet zu gelten.

Die Form dieser öffentlichen Bekanntmachung wird von Ort zu Ort verschieden sein. Vor allem aber spielt die zeitliche Komponente hier eine herausragende Rolle. Zur Zeit des Alten Testaments schloß diese Bekanntmachung eine Vereinbarung zwischen den Eltern der Braut und des Bräutigams mit ein. Außerdem war es Sitte, Geschenke auszutauschen. So galten zum Beispiel Isaak und Rebekka für die Gesellschaft, in der sie lebten, von dem Moment an als verheiratet, da sie gemeinsam in ihr Zelt gingen (1. Mose 24). Von einem Eheversprechen oder einer Hochzeitsfeier, wie wir es heute kennen, ist an keiner Stelle die Rede.

In der späteren jüdischen Kultur war die Hochzeit eingerahmt in ausgedehnte Feierlichkeiten. Dazu gehörten das Tragen einer besonderen Kleidung und ein öffentlicher Umzug, mit dem der Bräutigam die Braut für einige Tage des Feierns in sein Haus brachte. Der gesetzliche Ehevertrag war bereits einige Monate zuvor, anläßlich der *Verlobung*, geschlossen worden. Er galt als verbindliche Vereinbarung zwischen dem Paar und seinen Familien. Die Ehe galt jedoch erst von dem Moment an als *vollzogen*, in dem das Paar eine gemeinsame Wohnung bezog und den ersten Geschlechtsverkehr hatte. (Deshalb die Unterscheidung zwischen dem *Verlobtsein* mit einer Frau und ihrem *Heimholen* in 5. Mose 20,7). Gewöhnlich fand dieser Vollzug der Ehe in der ersten Nacht der Hochzeitsfeierlichkeiten in einem besonderen Zelt statt oder in einem Raum, den man das »Brautgemach« nannte. In jene Zeit fielen auch die Beweise der Jungfräulichkeit.

Die Römer kannten verschiedene Arten von Hochzeitsfeiern, aber der wichtigste Teil bei all diesen Feiern scheint das Händereichen des Paares in Gegenwart von Zeugen gewesen zu sein. Hierbei erklärten beide öffentlich ihren Wunsch, zusammenzubleiben. Überliefert ist weiterhin, daß zuweilen Gebete gesprochen und den Göttern Opfer dargebracht wurden. Auch lesen wir davon, daß das Brautpaar einen Kuchen austeilte, der Jupiter oder einem anderen Gott geweiht worden war. Anschließend gab es Glückwünsche durch die Zeugen der Heirat. Fand die Hochzeitsfeier im Haus der Braut statt, führte der Bräutigam sie gleich anschließend in sein Haus. Die Hochzeitsfeiern im alten Rom müssen ein willkommener Anlaß zu Freude und Frohsinn gewesen sein.

Auch die Griechen veranstalteten anläßlich einer Eheschließung ein Fest. Es begann mit einem »Anfaß-Kuß« von Bräutigam und Braut. Sie hielten einander an den Ohren und berührten vorsichtig ihre Lippen. Seit sich bei den Griechen herumgesprochen hatte, die Zwiebel sei eine »Liebesarznei«, kam es nicht selten vor, daß man vor dem Hochzeitskuß Zwiebeln aß.

Die Art, wie Mann und Frau in den Stand der Ehe treten, ist auch heute noch von Kultur zu Kultur verschieden. Aber ihnen allen gemeinsam ist eine Art öffentlicher Mitteilung, aus der hervorgeht, daß eine neue Mann-Frau-Einheit geboren worden ist. Einige Arten dieser öffentlichen Bekanntmachung mögen uns Menschen der westlichen Zivilisation fremd anmuten. Beispielsweise berichten uns Anthropologen von einem ungewöhnlichen

Hochzeitsritual unter den Kwona in Neu-Guinea. Wenn dort ein Junge und ein Mädchen an Heirat denken, zieht das Mädchen für einige Zeit in die Familie des Jungen, damit sie sich besser kennenlernen. In dieser Zeit kocht sich das Mädchen sein eigenes Essen, während die Mutter des Jungen und seine Schwestern das Essen für die übrigen Familienmitglieder zubereiten. Wenn nun die Mutter meint, die Zeit sei reif für eine Hochzeit, bittet sie das Mädchen, das Abendessen für den jungen Mann zu bereiten, während er nicht zu Hause ist. Wenn er dann zurückkommt und nichtsahnend zu essen beginnt, verkündet ihm die Mutter, er sei nunmehr verheiratet – weil er etwas esse, was seine Verlobte zubereitet habe. Und nun kommt die »öffentliche Bekanntmachung«: Der junge Mann rennt nach draußen und schreit überall herum, wie furchtbar dieses Essen geschmeckt habe. Direkt im Anschluß daran beginnt das Paar, wie Mann und Frau zusammenzuleben.

Warum, so müssen wir nun fragen, gehört zur Ehe solch eine öffentliche Bekanntmachung? Die Antwort ist einfach: sie dient dem Schutz der Partner, der zukünftigen Kinder, der Gesellschaft.

Soweit es die Partner angeht, sind psychologische, seelische und wirtschaftliche Interessen ausschlaggebend für die Entscheidung, zusammenzuleben und sich einander sexuell hinzugeben. Eine öffentliche Bejahung der gemeinsamen Bindung wird diese Interessen besser schützen und die Wahrscheinlichkeit einer reichlichen Nachkommenschaft vergrößern. Außerdem dient dieses »Publizitätserfordernis« auch dem Schutz der Partner voreinander. Man braucht sich nur einmal anzusehen, wie kompliziert das heutige Ehe- und Familienrecht ist. Diese Tatsache rührt vornehmlich daher, daß der Gesetzgeber bemüht war, einen wirklich interessengerechten Ausgleich zwischen dem Ehepaar und seinen Kindern für den Fall zu schaffen, daß Schwierigkeiten auftreten.

Schutzfunktion hat die Ehe gesellschaftlich auch für die Kinder, die aus ihr hervorgehen. Und schließlich dient die öffentliche Bekanntmachung der Ehe selbst. Die anderen wissen nun, daß die beiden verheiratet sind. Jeder Mann weiß, daß er kein Recht auf eine verheiratete Frau hat (Vgl. dazu 1. Mose 12,10–20; 20,1–18 und 26,6–11).

Keine Gesellschaft kann und wird erlauben, daß sexuelle Verhaltensweisen ohne jede Regelung ablaufen. Toleriert sie es dennoch, wird sie in ihrem Grundbestand bedroht. Zur Stabilität einer Gesellschaft gehören feste Regeln – vor allem im Bereich der Sexualität.

Daß Ehe den Geschlechtsverkehr mit einschließt, bedarf keiner näheren Ausführung. Umgekehrt kann man aber nicht sagen, daß ein Paar, das sexuell miteinander verkehrt, damit auch schon verheiratet ist. Die Elemente Sexualverkehr und die wirtschaftliche Gemeinschaft von Tisch und Bett sowie die Anerkennung durch die Gesellschaft sind untrennbar miteinander verbunden.

Hier sollte ich einen Fall erwähnen, der auf den ersten Blick eine Ausnahme zu sein scheint. Unter den Wapisiana in Britisch-Guayana (Südamerika) gilt das Zusammenleben als Ehe. Koitus zwischen zwei unverheirateten Menschen gibt es dort nicht, denn allein der Geschlechtsakt macht aus den beiden ein Ehepaar. Dennoch handelt es sich bei den Wapisiana nicht um ein Volk, das die Promiskuität befürwortet. Bis zur Hochzeit herrscht strikte Trennung der Geschlechter. Wenn sich ein Mann und eine Frau dazu entschließen, zusammenzuleben, wird das öffentlich anerkannt. Zusammenleben bedeutet in diesem Volk aber auch, alle Verpflichtungen der Ehe zu übernehmen, nicht nur das Privileg des Intimverkehrs. So ist selbst diese Form der Ehe nicht eine rein private Angelegenheit, vielmehr wird den Forderungen der Gesellschaft Rechnung getragen und die soziale Ordnung auf diese Weise aufrechterhalten.

Die Ehe aus theologischer Sicht

Wann immer Jesus über die Ehe befragt wurde, wies er seine Zuhörer auf den Anfang hin – auf die Zeit, als der erste Mann und die erste Frau sich in dieser einzigartigen Beziehung verbanden. In Matthäus 19,1−12 (vgl. 1. Mose 2,18−25) sehen wir das Ideal, das Jesus Christus denen kundtat, die nach seinen Geboten leben wollten.

Den Anforderungen dieses Ehe-Ideals aber, so hört man immer wieder, könne kein Mensch genügen. Dazu William Barclay in seinem Kommentar zum Matthäus-Evangelium:

»Was Jesus wirklich sagen will, ist: nur ein Christ kann die christliche Ethik akzeptieren. Nur, wer die ständige Hilfe von Jesus Christus und die ständige Führung des Heiligen Geistes hat, kann eine Ideal-Ehe führen. Nur durch die Hilfe Jesu Christi kann ein Mann die Zuneigung entwickeln, das Verständnis, die vergebende Haltung, die aufmerksame Liebe, die die wahre Ehe verlangt. Ohne die Hilfe Jesu Christi aber ist solch eine innere Einstellung unmöglich. Das christliche Ideal der Ehe setzt nun einmal voraus, daß die beiden Menschen, die heiraten, Christen sind.

Die Lehre Christi kann nur Wirklichkeit werden, wenn wir fest davon überzeugt sind, daß Jesus nicht tot ist, sondern gegenwärtig, um uns zu helfen. Die Lehre Christi erfordert die Gegenwart Christi. Andernfalls wird sie tatsächlich zum quälenden, unerreichbaren Ideal.«

An dieses Wort wollen wir denken, wenn wir uns das Ehe-Ideal Christi ansehen. Jesus betonte, daß Gott die Menschheit in zwei Geschlechtern schuf. »Er antwortete aber und sprach zu ihnen: Habt ihr nicht gelesen, daß, der im Anfang den Menschen gemacht hat, der machte, daß ein Mann und ein Weib sein sollte« (Matthäus 19,4). Christus zeigte, daß Gott die menschliche Geschlechtlichkeit geplant hatte – als einen wunderbaren Teil seiner Schöpfung, die er als *sehr gut* ansah. Die Sexualität darf deshalb weder verachtet, vernachlässigt, verunreinigt noch vergöttert werden. Vielmehr müssen wir sie als Geschenk Gottes hinnehmen. Das »Typische« an Mann und Frau ist also Schöpfung Gottes. Gott aber wollte, daß die beiden Geschlechter nicht nur als Körper zueinander in Beziehung stehen sollten, sondern als ganzheitliche Menschen. Rangunterschiede zwischen den beiden Geschlechtern gehören nicht zum göttlichen Plan.

Gott schuf die Menschen – beide, Mann und Frau, zu seinem Bilde (1. Mose 5,1 und 2). Dieses Insichtragen des Bildes Gottes unterscheidet den Menschen von allen anderen Formen des irdischen Lebens. Eine ernsthafte Betrachtung dessen muß auch auf sexuellem Gebiet Auswirkungen haben. Wenn man sich bewußt ist, daß der Partner zum Bilde Gottes gemacht ist, daß man diesen Menschen in seiner Beziehung zu Gott betrachten muß, wird jede sexuelle Erniedrigung des einen durch den anderen zur Gotteslästerung.

Gott schuf die Ehe als eine einzigartige Möglichkeit der Gemeinschaft (1. Mose 2,18). Gott wollte, daß Mann und Frau sich gegenseitig bereichern. Ein Ehepaar sollte erfahren, wie es ist, *ein ganzes Leben* miteinander zu teilen; sie sollten einander helfen und ermutigen. Zusammen reden, gehen, lachen, lieben, weinen und anbeten – *zusammen* sollten sie Gottes Ebenbild widerspiegeln. Sie waren füreinander und für Gott gemacht.

Gott gab dem Mann die Frau als Gegenstück, als »andere Hälfte«. Obwohl in ihren körperlichen Merkmalen unterschiedlich, gleichen sie sich doch in ihrer geistig-seelischen Veranlagung. Das befähigt sie zur echten Partnerschaft, wie Gott sie gewollt hat.

Vielleicht hat Adam zuweilen in einem Teich sein Spiegelbild gesehen und sich danach gesehnt, ein Wesen zu haben, das ihm glich. Keines der Tiere um ihn herum war ein Geschöpf wie er, keines konnte die Sehnsucht seines Herzens stillen. Es war jedoch mehr als nur der Wunsch nach menschlicher Gemeinschaft. Gott hätte leicht einen anderen Mann an die Seite Adams stellen können, wenn er nur einen Freund gebraucht hätte. Aber Adams Gefühl der Unvollkommenheit war das Resultat von Gottes Plan, die Menschen in zwei Geschlechtern zu schaffen. Er schuf Mann und Frau zur gegenseitigen Ergänzung und Vervollständigung. Und sie sollten in der Ehe eine Nähe erfahren, die in sich selbst eine Widerspiegelung von Gottes Bild sein konnte. (Einige Theologen vertreten auch die Auffassung, die liebende Gemeinschaft von Mann und Frau helfe uns, etwas von der Beziehung zwischen Vater, Sohn und Heiligem Geist zu verstehen.)

»Bein von meinem Bein und Fleisch von meinem Fleisch!« Die Reaktion Adams zeigt, daß Gott ihm mit der Frau genau das gegeben hatte, was er sich so sehnlich gewünscht hatte. Adam erkannte, daß sie im wahrsten Sinne des Wortes ein Teil von ihm war. Der Apostel Paulus spielt auf diese alttestamentliche Stelle an, wenn er die Beziehung zwischen Mann und Frau in der Ehe mit der Verbindung zwischen Christus und seiner Kirche vergleicht. »So sollen auch die Männer ihre Frauen lieben wie ihren eigenen Leib. Wer seine Frau liebt, der liebt sich selbst. Denn niemand hat jemals sein eigen Fleisch gehaßt; sondern er nährt es und pflegt es, gleichwie auch Christus die Gemeinde. Denn wir sind Glieder seines Leibes« (Epheser 6,28−30). In der christlichen Ehe betrachten sich Mann und Frau als Glieder eines Ganzen. Die Vertrautheit, die man miteinander teilt, kann man mit niemandem sonst erleben.

Das heißt nun aber nicht etwa, daß Frau und Mann ohne den anderen keine Daseinsberechtigung hätten oder daß sie in allen Dingen einer Meinung sein müßten. Die christliche Ideal-Ehe bedeutet nur, daß einer den anderen höher achtet als sich selbst, daß man rücksichtsvoll miteinander umgeht und sich bemüht, den anderen zu verstehen und ihm nach besten Kräften zu helfen. Mann und Frau gehören zusammen. Allein sind sie nur unvollständig. Im Neuen Testament finden wir eine wunderbare Analogie: »...welche (die Gemeinde) da ist sein Leib, nämlich die Fülle des (Christus), der alles in allen erfüllt« (Epheser 1,23). *Die Ehe beinhaltet auch die Einrichtung einer neuen sozialen Einheit.* Jesus wies darauf hin, daß Gott es war, der gesagt hatte: »Darum wird ein Mensch Vater und Mutter verlassen und an seinem Weibe hangen, und die zwei werden ein Fleisch sein« (Matthäus 19,5; 1. Mose 2,24). So gibt es also eine *soziale* Seite der Ehe, die Teil von Gottes Plan zur Aufrechterhaltung der gesellschaftlichen Ordnung ist. Am Beginn einer jeden Ehe steht somit auch das Verlassen von Vater und Mutter und die Gründung einer neuen Familie. Das Paar bildet nun eine neue soziale Einheit.

Das Wort, das gemeinhin übersetzt wird mit »anhangen« oder »verbunden werden mit« bedeutet wörtlich »zusammengeleimt werden«. Mit dem Eintritt in die Ehe bilden Mann und Frau die engstmögliche Verbindung. Ihr Leben ist jetzt untrennbar aneinandergebunden.

In dem von Christus vertretenen Ideal ist die Ehe eine verbindliche, lebenslange Gemeinschaft. »So sind sie nun nicht mehr zwei, sondern ein Fleisch. Was nun Gott zusammengefügt hat, das soll der Mensch nicht scheiden« (Matthäus 19,6). Einer so endgültigen und bindenden Aussage begegnete die Erwiderung der Pharisäer: »Warum hat dann Mose geboten, einen Scheidebrief zu geben, wenn man sich scheidet?« (Matthäus 19,7). Die Antwort Jesu zeigt, daß Mose keineswegs die Scheidung *gebot*. Der Scheidebrief war kein Privileg, das man nach Belieben ausnutzen konnte. Vielmehr war dieser aus der damaligen Situation des Volkes Israel heraus entstanden. Das Volk war zu jener Zeit derart tief verstrickt in Sünde und Unrecht, daß die Ausgabe von Scheidebriefen notwendig wurde, um Schlimmeres zu verhüten. Das Gesetz zu erfüllen, dazu war Israel in jenen Tagen wegen seines unmoralischen Lebenswandels einfach nicht in der Lage. Christus sagte: »Mose hat euch erlaubt, euch zu scheiden von euren Frauen, um eures Herzens Härtigkeit willen; von Anbeginn aber ist's nicht so gewesen« (Matthäus 19,8).

Und dann führt Jesus wieder zurück zu dem Ideal, das Gott vorschwebte, als er die ersten beiden Menschen zusammenbrachte, um aus ihnen ein Fleisch zu machen. Der Sündenfall, der Eintritt der Sünde in die Welt als Zeichen der Auflehnung gegen den Schöpfer hatte Auswirkungen auf die Beziehung zwischen den Geschlechtern. Nun haben wir als Christen nicht das Recht, dieses Ideal der Ehe einer ungläubigen Gesellschaft, die nicht unter der Herr-

Ehe einer ungläubigen Gesellschaft, die nicht unter der Herrschaft Christi lebt, *aufzuzwingen*. Zudem darf man die Ideal-Ehe, wie Christus sie uns gelehrt hat, nicht in grausame Gesetzmäßigkeit zwängen, durch die ein unglückliches Paar dazu gebracht werden soll, in ständiger Qual und unter allen Umständen zusammenzubleiben. Kein geringerer als John Milton fragte sich, ob Gott nicht vielleicht immer noch die Scheidung »um der Härtigkeit des menschlichen Herzens« willen tolerieren würde. Und es gibt heute viele Christen, die sich angesichts ihrer unglücklichen Ehen die gleiche Frage stellen.

Auf jeden Fall hat die Kirche kein Recht, einen geschiedenen Menschen wie einen Aussätzigen zu behandeln, vielmehr muß sie auch in diesen Fällen Liebe und Verständnis walten lassen, denn das hat uns Jesus gelehrt. Er hat uns aber auch gelehrt, daß die ideale Ehe die ist, in der zwei Menschen in inniger Liebesbeziehung ein Leben lang zusammenbleiben.

Man muß sich sehr davor hüten, überstürzt eine eheliche Beziehung einzugehen. Eine Heirat ist ein zu wichtiger Schritt im Leben zweier Menschen, als daß man ihn überstürzt und leichtfertig tun dürfte. Wieder müssen wir uns die Macht des auferstandenen Herrn vergegenwärtigen, die jedem Christen zur Verfügung steht. Als die Menschheit Gott ungehorsam wurde, da wurde das Bild Gottes im Menschen getrübt, so daß nur ein blasser Schein von dem blieb, wie Gott den Menschen eigentlich wollte. Aber in Jesus Christus ist dieses Bild wiederhergestellt (Kolosser 3,10). Jedes Paar kann in der täglichen Erneuerung seines Lebens das Eheideal erleben, das Gott vorschwebte, als er Mann und Frau schuf. Gott brachte das erste Ehepaar zusammen, und er ist heute noch daran interessiert, den ihm ergebenen Christen, Mann oder Frau, zu dem Partner fürs Leben zu führen, den er ausgesucht hat.

*Die sexuelle Vereinigung ist ein wichtiger Teil dieses »Eins-seins«
in der Ehe.* Jesus erinnerte seine Zuhörer an die Stelle in 1. Mose 2,24: »Darum wird ein Mann seinen Vater und seine Mutter verlassen und seinem Weibe anhangen, und sie werden ein Fleisch sein.« Daß sich diese Aussage nicht nur auf die Verbindung zweier Persönlichkeiten, sondern auch auf die sexuellen Kontakte bezieht, die körperliche Vereinigung von Mann und Frau, macht die Aussage des Apostel Paulus klar, in der er vor dem Koitus außerhalb der Ehe warnt (1. Korinther 6,16).

Als erstes sagt die Schrift ganz klar, daß die körperliche Vereinigung von Mann und Frau kein isolierter Akt ist, sondern Teil einer ganzheitlichen Beziehung. Daß der sexuelle Kontakt erst *nach* der Heirat stattfinden soll – nachdem die neue soziale Einheit geschaffen worden ist –, kann man an der Reihenfolge des Beispiels aus 1. Mose ersehen, dessen sich Jesus hier bedient, nämlich verlassen – anhangen – ein Fleisch sein. Der Geschlechtsverkehr wird somit zu einer Handlung, die den Übergang zweier Menschen in den Stand der Ehe befestigt.

Zweitens wird in der Heiligen Schrift nie die Tatsache heruntergespielt, daß die sexuelle Komponente der Ehe ungemein wichtig ist und von Gott als etwas gedacht war, das sowohl Mann als auch Frau genießen sollten. Ersichtlich wird das aus Sprüche 5,18 und 1. Korinther 7,3–5.

Gerade in den letzten Jahren hat man sich zunehmend beeindruckt davon gezeigt, daß Gott ein ganzes Buch der Bibel dem Lobpreis der ehelichen Liebe gewidmet hat: das Hohelied Salomos. Das Hohelied ist für viele ein Hinweis darauf, wie Gott die Sexualität in der Ehe sieht. Und wer dieses Hohelied jemals gelesen hat, der wird zugeben müssen, daß Gott die sexuelle Veranlagung des Menschen als etwas Schönes, Reines und Gutes schuf.

Doch es gab auch Theologen, die mit diesem Buch der Bibel einfach nicht zurechtkamen. Diese Theologen konnten nicht glauben, daß Gott die Sexualität als etwas Schönes und Gutes hinstellte, deshalb bemühten sie alle möglichen Erklärungen, was die Bedeutung dieses Buches im Gesamtzusammenhang der Heiligen Schrift angeht. Besonders beliebt ist eine Interpretation geworden, derzufolge das Hohelied mit menschlicher Liebe überhaupt nichts zu tun haben soll. Vielmehr, so sagt man, sei es als eine Allegorie auf Gottes Handeln an Israel oder auf Christus und sein Verhältnis zur Kirche gedacht. In Wirklichkeit handle es sich also hier um eine mystische, rein geistige Liebe.

Demgegenüber gibt es heute viele Christen, die das Hohelied als Ausdruck des göttlichen Willens in bezug auf die menschliche Ehe sehen. Gott, so sagen sie, schuf das Hohelied Salomos deshalb, weil er darstellen wollte, wie er die Liebe zwischen Mann und Frau gedacht hatte.

Diese Ansicht über das Hohelied bedeutet natürlich nicht, daß man in diesem biblischen Buch überhaupt keine Elemente der Anbetung Gottes finden kann. Auch bedeutet es nicht, daß das Hohelied nicht die enge Verbindung zwischen Christus und seiner Kirche darstellen könnte. Wir sahen ja bereits, daß das Ideal der Ehe darin besteht, ein Bild von Gottes Beziehung zu seinem Volk widerzuspiegeln. Und wenn uns der Lobgesang Salomos hilft, die Ehe besser zu verstehen, kann er uns auch helfen, mehr von der Einheit der Gläubigen mit Gott zu begreifen.

Sehen wir uns nun das Hohelied ein wenig genauer an. Zunächst hat es uns eine Menge zu sagen über die eheliche Liebe, wie Gott sie haben wollte. Im ganzen Buch wird deutlich, daß sich Mann und Frau gegenseitig *total genießen*. Sie sehnen sich danach, zusammen zu sein und vermissen sich, wenn sie voneinander getrennt sind. Besonders deutlich wird das in den Träumen der zukünftigen Braut in den ersten drei Kapiteln. Hier erinnert sie sich an Stunden, die sie mit dem Geliebten verbrachte, an Tagträume, die sie über ihre gemeinsame Zukunft hatten. Sie denkt an die Gespräche, an all die zärtlichen Worte. Manchmal kommt in ihr die Angst hoch, den Geliebten zu verlieren; doch schon bei dem Gedanken daran schweift ihr Blick in die Ferne – er muß bald kommen! Und sie weiß: er *wird* kommen, ihretwegen. Er gehört zu ihr und sie zu ihm. Nach der Hochzeit hat sie einen Alptraum. Sie träumt, daß sie ihren Liebsten abgewiesen hat – und wieder erkennt sie, wie sehr sie seine Liebe braucht. Von ihm verlassen zu werden, wäre das furchtbarste Unglück, das ihr je widerfahren könnte (5,2 ff.).

Der Mann und die Frau, um die es in diesem Liebesgedicht geht, sehnen sich ausschließlich nacheinander. Dies ist keine bloße Verliebtheit, die lediglich auf körperlichem Verlangen basiert. Jeder sieht im anderen den *Menschen* – nicht nur eine wohlgestaltete Person, einen schönen Körper. Jeder ist davon überzeugt, daß niemand mit dem geliebten Menschen vergleichbar ist. Der Mann flüstert seiner Liebsten ins Ohr, sie sei eine liebliche Blume. Verglichen mit ihr seien alle anderen Mädchen nur Dornen. Sie antwortet, er sei ein herrlicher Apfelbaum – überreich an süßen Früchten –, der ihr kühlen, wohltuenden Schatten spende. Im Vergleich zu ihm sagt sie, seien alle anderen Männer nur wilde Bäume.

Im ganzen Buch wird immer wieder betont, die Liebe sei nicht etwas, mit dem man spielen darf. Wahre Liebe darf nicht frühzeitig und künstlich hochgepeitscht werden. Wahre Liebe muß sich entwickeln. Und so warnt die junge Frau ihre Freundinnen davor, die Liebe aufzuwecken, »bis es ihr selbst gefällt« (2,7; 3,5). Sie soll nicht durch sexuell stimulierende Situationen erregt werden oder durch ein Verhalten, das die bloße körperliche Leidenschaft weckt. Zur Entwicklung einer bleibenden Liebesbeziehung braucht es Zeit. Die wirkliche Liebe wird zur »rechten« Zeit erwachen – wird keimen, Blüten treiben und in ihrer ganzen Fülle blühen, wenn ein Mann und eine Frau zusammenwachsen und einander kennenlernen und schließlich den Punkt erreichen, an dem sie sich entscheiden, sich für das ganze Leben aneinander zu binden.

Das heißt nun aber nicht, daß es in der allmählichen Entwicklung einer solchen Beziehung kein körperliches Begehren gibt. Sicher gibt es das, aber als Ergebnis einer tiefen Liebe, die sich danach sehnt, dem *einen* Menschen ganz zu gehören. Wenn man aber die körperliche Liebe im Gesamtzusammenhang einer solchen Beziehung sieht, so bedeutet das auch, daß die beiden Menschen fähig sind, Selbstbeherrschung zu üben. Sie werden sich davor hüten, sich in den Strudel der Leidenschaft hineinziehen zu lassen – einer Leidenschaft, die sie später vielleicht bereuen könnten. Dennoch sind die beiden Liebenden offen und ehrlich, was ihre Gefühle füreinander betrifft. Zu Beginn des Liedes spricht die junge Frau von ihrer Sehnsucht nach seinen Küssen, und als sie von ihrem zukünftigen Ehemann träumt, gesteht sie, daß sie vor Liebe regelrecht krank ist, daß sie sich nach seinen Umarmungen sehnt (2,5 und 6). Der junge Mann hat offensichtlich ähnliche Gefühle. In ihren Flitterwochen sagt er:»Du hast mir das Herz genommen, meine Schwester, liebe Braut, mit einem einzigen Blick deiner Augen« (4,9). Einmal muß er sogar sagen: »Schau mich nicht so an!« Er bittet sie, ihre Augen von ihm zu wenden, weil er überwältigt ist von der Liebe, die ihm aus diesen Augen entgegenstrahlt (6,5).

Trotz dieser leidenschaftlichen Gefühle sind sich beide darüber einig, daß sie vor der Hochzeit Zurückhaltung üben müssen, was den Grad an körperlicher Nähe angeht. Wenn die Braut an jene Tage zurückdenkt, erinnert sie sich daran, wie notwendig es ist, zu vermeiden, ihre Gefühle in der Öffentlichkeit zu zeigen. Das hätte man als unanständig empfunden. Sie gesteht, daß es Zeiten gab, wo sie wünschte, ihr Verlobter wäre einer ihrer Brüder gewesen, so daß sie einfach nach draußen hätte laufen und ihn küssen können (8,1 und 2). Dennoch bedauert sie die voreheliche Zurückhaltung nicht, die sie und ihr Verlobter sich auferlegt haben. Nach der Hochzeit berät die Familie über die Zukunft der kleinen Schwester. Sie fragen sich, wie sie wohl sein wird, wenn sie ein junges Mädchen ist, das die Aufmerksamkeit der Jungen erfährt. Wird sie eine Mauer sein – oder eine Tür? Wird sie zurückhaltend sein im Umgang mit dem anderen Geschlecht? Oder kann man sich ihr so leicht nähern, daß die Familie auf sie achtgeben muß? Die Braut blickt zurück auf ihr Leben und ist froh, daß sie eine »Mauer« war. Niemand mußte auf sie achtgeben, sie war fähig, »ihr Herz mit allem Fleiß zu behüten, denn daraus quillt das Leben« (Sprüche 4,23). Sie hatte ein Ziel – das Ziel, sich eines Tages ganz und ausschließlich ihrem Ehepartner hingeben zu können (4,12 und 16; 5,1). Und deshalb war sie »in seinen Augen wie eine, die Frieden bringt« – eine Quelle der Erquickung, des Trostes, der Wärme und Freude (8,8–10).

Übrigens wird die Jungfräulichkeit hier nicht bloß als ein Zeichen für »Schicklichkeit« oder ein Sichfügen in die Konventionen der Gesellschaft angesehen, ebensowenig als eine Auswirkung von Verboten, die auf einer geringen Wertschätzung der Sexualität basieren. Auch galt sie nicht als Zeichen des »Sieges« über all diese Kräfte, die den Menschen »berauben« wollen und einen unwiderbringlichen Verlust verursachen. Auch bedeutet Jungfräulichkeit nicht, daß man »niemals die Möglichkeit dazu« hatte. Vielmehr zeigt das biblische Ideal der Keuschheit für Männer und Frauen, daß Unberührtheit ein *positiver Wert* ist, der mit in die Ehe gebracht wird – ein Merkmal für die Einzigartigkeit der ehelichen Beziehung. Mann und Frau schenken einander ihre Unberührtheit, als Zeichen völliger Hingabe. Sie gewähren einander den Zugang zu einem Teil ihrer selbst, den niemand vorher bekommen hat. Von diesem Standpunkt aus hat die Keuschheit keinerlei *negative* Seiten. Die Betonung liegt hier nicht auf Selbstverleugnung und Enthaltsamkeit als einer lästigen Pflicht, vielmehr geht es darum, sich dem anderen »aufzubewahren«. Das unberührte Paar bringt eine »Mitgift« in die Ehe ein, die die tiefsten Schichten der beiden Liebenden betrifft. Für die meisten Menschen kommt der Zeitpunkt, wo sie zum erstenmal sexuell mit einem anderen verkehren. Nur wenn es sich bei dem anderen um den Ehepartner handelt, ist dem göttlichen Ideal jener »Ein-Fleisch-Beziehung« Genüge getan.

Kehren wir noch einmal zurück zum Hohelied Salomos. Entgegen einer heute weitverbreiteten Auffassung, derzufolge es bei Paaren, die vorher noch nie Geschlechtsverkehr hatten, in der Hochzeitsnacht nur schwer »klappt«, hat dieses junge Paar mit seinem ersten Geschlechtsverkehr nicht die geringsten Schwierigkeiten. Gefühle von Angst, Scham oder das Bewußtsein, etwas Verbotenes zu tun, lassen sich dem Text nicht entnehmen. Vielmehr erfahren sie völlige Freude (z.B. 4,1−5). Diese Freude entspringt jener echten und tiefen Liebe, die sie füreinander empfinden. Sie sind glücklich, daß endlich der Moment gekommen ist, in dem ihre unendliche große Liebe in der engsten Umarmung, die Menschen überhaupt möglich ist, in den anderen ausgegossen werden kann. In grenzenloser Freiheit und völliger Hingabe drücken sie diese Liebe aus, durch zärtliche Küsse und durch die Vereinigung ihres Körpers. Diese Freude am sexuellen Ausdruck einer wahren Liebe kann wachsen und im Laufe der Jahre eines gemeinsamen Lebens immer schöner werden.

Die Worte, mit denen dieser intimste, persönlichste Bereich der Ehe beschrieben wird, sind weder prüde noch anstößig. Das Ehebett wird mit Worten charakterisiert, die überfließen von Schönheit und Reinheit − duftende Gewürze und blumenübersäte Gärten, Springbrunnen, Milch und Honig, Früchte und Wein, Elfenbein und wertvolle Edelsteine, Vogelstimmen, anmutige Tiere, die auf den Hügeln herumtollen. Wir dürfen dem Herrn danken, daß er den Geschlechtsverkehr als einen Ausdruck für die völlige Vereinigung von Mann und Frau schuf.

Die grundsätzliche Einstellung dieser beiden jungen Menschen, in der sie ihre Liebe als ein wundervolles Geschenk Gottes annehmen, macht sie dazu fähig, ihre Körper als makellose Zeichen seiner Schöpfung zu achten und zu ehren. Es gibt unter den Ehepaaren über den Anblick der menschlichen Gestalt weder Verlegenheit noch Scham. Sowohl die muskulöse Stärke des männlichen Körpers als auch die sanften Konturen der weiblichen Gestalt werden als etwas Schönes angesehen, über das man staunen kann (z.B. 4,1 ff.; 5,10−16; 6,4−7 und 9).

Aus der Sicht Gottes liegt nichts Unanständiges oder Unschickliches in der aktiven Beteiligung der Frau am Sexualverkehr − im Gegensatz zu viktorianischen Anschauungen, die in christlichen Kreisen zuweilen auch heute noch propagiert werden. Die Frau braucht sich über den ehelichen Geschlechtsverkehr nicht zu schämen, sie braucht sich nicht schuldig zu fühlen.

Gott wollte, daß sie kreativ an der sexuellen Vereinigung mit ihrem Mann teilnimmt. Sie sollte ihrem Ehemann auch in sexuellen Dingen eine Partnerin sein − nicht ein passives, phantasieloses, unterwürfiges »Objekt«, mit dem man etwas tut. Das Hohelied ist ein Gedicht über die Liebe und in dieser Liebe liegt eine nie zuvor gekannte Intensität menschlicher Gefühle.

Die Elternschaft ist ein Privileg und Teil der Ehe. Die Darstellung in der Schöpfungsgeschichte über den Ursprung der Ehe spricht von Gottes Segnung des ersten Ehepaars und seiner Ermahnung: »Seid fruchtbar und mehret euch« (1. Mose 1,28). Die Bibel sagt nicht ausdrücklich, daß die Zeugung von Nachkommen der hauptsächliche Zweck des Geschlechtsverkehrs ist, aber sie macht deutlich, daß Kinder »eine Gabe des Herrn« sind (Psalm 127,3). Die Erfahrung, Kinder zu bekommen, gemeinsam für sie zu sorgen und sie im Sinne Gottes zu erziehen (5. Mose 6,4—7) ist ein Privileg, das die Partnerschaft von Mann und Frau noch mehr festigt.

Gott bestimmt einige zu einem Leben in Ehelosigkeit. Als die Jünger Jesu seine Anmerkungen zur Ehe hörten (Matthäus 19), führten sie die Sache mit der Ehelosigkeit an. Christus bestätigte, daß es Menschen gebe, die ohne eigene Schuld ledig geblieben seien, aber auch Menschen, die ein Leben in Ehelosigkeit um des Reiches Gottes willen auf sich genommen hätten. Solche Menschen sind bereit, eine Heirat zu verschieben – oder gar ganz auf sie zu verzichten –, wenn bestimmte Aufgaben im Dienste Gottes dies von ihnen verlangen.

Aber sowohl Christus als auch Paulus erklärten ausdrücklich, daß Ehelosigkeit nur für einige wenige gelte, die Gott dazu ausersehen habe. Jeder Nachfolger Christi sollte bereit sein, diese Möglichkeit als gottgewollt anzunehmen. Dabei muß das keineswegs zu einem trostlosen Leben führen. Ungezählte Menschen, die wegen der Arbeit am Reich Gottes ehelos blieben, führen ein höchst interessantes und sehr abwechslungsreiches Leben. Für die meisten jedoch wird die Ehe die Lebensform sein, auf die Gott sie hinführt. Es ist durchaus nicht ausgeschlossen, daß selbst die Jünger später Ehefrauen gefunden haben, die sie als Gaben Gottes ansahen (1. Korinther 9,5; Sprüche 18,22; 19,14).

Mann und Frau –
miteinander oder gegeneinander?

Simone de Beauvoir, eine Vorkämpferin des Feminismus und damit häufig genug des Kampfes der Frauen gegen die Männer, unterscheidet diese Kampfsituation von der des Klassen- und des Rassenkampfes:

»Das Proletariat könnte sich vornehmen, die herrschende Klasse niederzumetzeln, ein fanatischer Schwarzer könnte davon träumen, sich das Geheimnis der Atombombe zu verschaffen, um eine durchweg schwarze Menschheit zu verwirklichen – aber selbst im Traum denkt die Frau nicht daran, die Männer auszurotten. Das Band, das sie an sie bindet, kann mit keinem anderen verglichen werden. Die Teilung in Geschlechter ist etwas biologisch Gegebenes, nicht ein bloßes Moment der Menschheitsgeschichte. Inmitten eines ursprünglichen Mitseins hat ihre Gegensätzlichkeit sich abgezeichnet und es nicht durchbrochen. Das Paar ist eine Grundeinheit, deren beide Hälften aneinandergeschmiedet sind. Es ist nicht möglich, eine Spaltung der Gesellschaft nach Geschlechtern vorzunehmen.

Das ist es, was von Grund auf die Frau charakterisiert. Sie ist die *andere* innerhalb eines Ganzen, in dem beide Extreme einander nötig haben.« (aus:»Das andere Geschlecht«, Hamburg 1964).

Darin scheint schon das zu liegen, was über Gründe, Grenzen und Grade der Partnerschaft zu sagen ist. Mann und Frau haben einander nötig, beide sind von Natur und Bestimmung aufeinander angewiesen. Dennoch steht Partnerschaft heute mehr auf dem Papier, als daß sie sich in menschlichen Beziehungen realisiert.

Darüber wurden viele Bücher geschrieben und scharfsinnige Überlegungen angestellt. Faßt man die vielen Gründe dafür zusammen, so münden sie alle in den einen: Die Frau fühlt sich dem Ganzen vielleicht ein klein wenig zu sehr verbunden und verhaftet, um sich völlig zu emanzipieren.

Biologisch sind der Frau in bezug auf»Emanzipation« Grenzen gesetzt, weil sie gegen gesellschaftliche Bedingungen und gegen ihre eigene Natur angehen muß. Versucht sie gesellschaftliche Hindernisse zu überwinden und es dem Manne gleichzutun, geschieht dies oft gegen ihre Natur. Lebt sie ihrer Frauen- und

Mutterrolle ganz, so verzichtet sie auf gesellschaftliche Gleichstellung und bleibt abhängig.

Dieses Dilemma beschrieb die amerikanische Frauenrechtlerin Lucy Stone bei ihrer Eheschließung in einer Zeitung:»Wenn wir auch dadurch unsere gegenseitige Zuwendung öffentlich bekunden, daß wir in den Ehestand eintreten, halten wir es doch für unsere Pflicht, zu erklären, daß wir mit diesem Akt diejenigen der heutigen Ehegesetze weder gutheißen, die der Ehefrau die Anerkennung als unabhängiges, denkendes Wesen verweigern und dem Ehemann eine ungerechte und unnatürliche Vormachtstellung einräumen, noch uns ihnen freiwillig unterwerfen wollen.«

Zumindest physisch ist der Mann der Frau an Muskelkraft überlegen. So sind Frauen durchschnittlich 10 cm kleiner als Männer, sie wiegen rund 10 kg weniger, die Reichweite ihrer Arme ist um 10 % geringer; sie haben 15 % weniger Muskelsubstanz, dagegen 50 % mehr Fett. Ihr Blut enthält um 30 % weniger rote Blutkörperchen, ihr Herz hat ein geringeres Schlagvolumen. Darum ergibt sich, daß sie weniger kräftig sind und schneller ermüden als der Mann, der von zyklischen Beeinflussungen der Leistungsfähigkeit und von den schwerwiegenden Belastungen durch Schwangerschaft und Geburt frei ist. Diese natürlichen Unterschiede lassen sich beim besten Willen nicht beseitigen.

Ungerecht freilich ist die Selbstverständlichkeit, mit der Männer zu allen Zeiten von ihrer physischen Überlegenheit Gebrauch gemacht haben. Nur wenige Gesellschaftssysteme waren davon ausgenommen. Zu ihnen gehören die Tschambul in der Südsee, von denen Margaret Mead (»Leben in der Südsee«, München 1965) berichtete. Sie fand dort Frauen mit Eigenschaften, die sonst nur Männern zugeschrieben werden. Frauen sind dort selbstbewußt und dominieren, verwalten und organisieren, stellen Güter her, treiben Handel und sind auch in erotischer Hinsicht die aktiveren, während der Mann abhängig, scheu, gefühlsbetont, kokett, tratsch- und zanksüchtig wirkt und sich gern ästhetischen Beschäftigungen zuwendet.

Nun läßt sich fragen, ob es überhaupt typisch männliche und typisch weibliche Züge gibt.

Diese Frage wurde in der Menschheitsgeschichte oft gestellt und zu beantworten versucht, meist nur von Männern. So sagte der griechische Philosoph Aristoteles:»Das Weib ist Weib durch das Fehlen gewisser Eigenschaften. Wir müssen das Wesen der

Frauen als etwas betrachten, was an einer natürlichen Unvollkommenheit leidet ...«.

In seinem Gefolge sieht Thomas von Aquin, der das Denken des christlichen Mittelalters bestimmte, in der Frau einen »verfehlten Mann«, und:»Der Mann ist Anfang und Ziel der Frau.« Und noch vor gut 200 Jahren diskutierten ernsthaft Ärzte die Frage, ob auch die Frau eine Seele habe, und der Mediziner Möbius schrieb vor weniger als 100 Jahren eine Abhandlung mit dem bezeichnenden Titel: »Vom physiologischen Schwachsinn des Weibes«. Darin heißt es:»Außerordentlich wichtige Teile des Gehirns, die für das geistige Leben notwendig sind, nämlich Stirnwindungen und Schläfenlappen, sind bei Frauen weniger stark ausgebildet, und dieser Unterschied ist angeboren.« Manche Aussagen in der Anthropologie, Theologie, Psychologie und Medizin enthalten bis in die Neuzeit hinein solche Vorurteile und Denkfehler.

Margaret Mead hat die Annahme über die typischen Geschlechtseigenschaften, wie sie noch in der Psychologie der zwanziger Jahre sehr verbreitet war, relativiert, da sie eine Variabilität geschlechtsspezifischer Verhaltensweisen in verschiedenen Völkern und Kulturen nachgewiesen hat. Nach Mead soll in beiden Geschlechtern eine Vielfalt angeborener Anlagen und Temperamente da sein, von denen jeweils bestimmte emotionelle und intellektuelle Veranlagungen ausgewählt und durch die gesellschaftlichen Bedingungen, durch die herrschenden Normen und die aus ihnen abgeleiteten Erziehungserwartungen, gefördert bzw. unterdrückt werden, um sich dann als scheinbare Geschlechtscharakteristika zu verfestigen.

Wenn etwa die Mutter selbst von früh an die unbewußte Einstellung hat, ihre Schwäche und Abhängigkeit habe einen geringen Wert, dann wird sich diese Einstellung auf das Mädchen übertragen. Dieses entdeckt in den ersten Lebensjahren äußerlich sichtbare Unterschiede, was den Eindruck erzeugen kann, daß ihm etwas fehle. Schon in der Kindheit darf das Mädchen viele Dinge nicht tun, die dem Jungen erlaubt sind: Bäume erklettern, Lager bauen, in Erdhöhlen herumkriechen, mit beschmutzten und zerrissenen Kleidern heimkehren – alles das, was ein »richtiger Junge« tut und was sich für ein Mädchen nicht schickt. Statt dessen »darf« es der Mutter in der Küche helfen, den Tisch decken, Kleider stopfen, lange an den Haaren kämmen, Puppen an- und ausziehen und spazieren fahren, während die Jungen ausgedehnte Radtouren und Erkundungsfahrten in die Umgebung machen.

Und das wird dann verstärkt mit Eintritt der Pubertät. Der Junge empfindet die erste Pollution als einen lustvollen Vorgang, auch wenn er danach manche quälende Unsicherheit durchleben wird; das Mädchen erlebt den Eintritt der geschlechtlichen Reifung mit der ersten Menstruation in der Regel als etwas Unangenehmes und Erschreckendes, vor allem, wenn es nicht aufgeklärt wurde. Von da an wird es an seine weibliche Geschlechtlichkeit Monat für Monat mit Unwohlsein und Beschwerden, zyklischen Stimmungsschwankungen und mancherlei äußeren Behinderungen erinnert. Dazu gesellt sich oft Angst vor der »unheimlichen« geschlechtlichen Begegnung mit dem Mann, einer womöglich schmerzhaften Defloration und die Angst vor Empfängnis, Schwangerschaft und Geburtswehen.

Kritik und Protest beginnen oft damit, daß man ahnt, was man *nicht* will, aber noch nicht genau sagen kann, *was* man will. So scheint es auch mit der weiblichen Rolle zu sein. Ein Mädchen, das die Beengung dieser Rolle spürt, mag sich unbewußt dagegen auflehnen und dabei unmerklich in Verhaltensformen geraten, die dem Mann zugeschrieben werden. Es ergibt sich das, was Alfred Adler den männlichen Protest nannte. Das Mädchen versucht meist unbewußt, so zu sein und zu tun wie ein Mann, nur um eine Spur zu herausfordernd und zu selbstbewußt.

Das stößt auf den Widerstand des Mannes, der von ihr die weibliche Rolle erwartet, jene Rolle der Schmiegsamkeit, Sanftmut und Naivität. Dies mag mit ein Grund dafür sein, warum erfolgreiche Frauen in Beruf und Öffentlichkeit so ungeliebt sind. Diese lassen häufig anscheinend vermissen, was Männer als weiblich empfinden.

Meistens endet die Auseinandersetzung mit der eigenen Rolle jedoch schon wesentlich früher. Das junge Mädchen wird sich, wie Simone de Beauvoir zutreffend feststellt, darüber klar, daß der Kampf zu ungleich ist und gibt nach.

Es mag in diesem Zusammenhang erstaunen, welche weittragenden Wesensunterschiede man allein aus der Anatomie der Geschlechtsorgane glaubte ableiten zu können.

So schloß der Tiefenpsychologe Hans Graber, wenn im menschlichen Leib eine Seele lebe, müsse das auch in der männlichen Samenzelle und der weiblichen Eizelle der Fall sein. Die Eizelle zeigt für Graber: »...ausgesprochen den Charakter der Beharrung, des Stationären, Ansässigen und des Passiven. Sie weist damit als Urseele des Weiblichen bereits die bekannten Grundcharaktereigenschaften des Weiblichen auf. Zum Unterschied zu der männlichen Samenzelle, die in ihrer Leib-Seele-Einheit auf Wandlung und Wanderung, ja Auswanderung und Angriff, also auf Bewegung und Aktivität eingestellt ist. Wir finden folglich auch schon in der Samen-Seelenzelle die Grundzüge des männlichen Charakters, das Streben, ja Hinausstreben aus inneren und äußeren Höhlen und die damit verbundenen Handlungen, den Trieb zur Wanderschaft, zur Aktivität, zum Kampf, letztlich zum Erreichen der Freiheit.«

Danach wären also aktive Frauen unweiblich und passive Männer unmännlich und was man an derlei beliebigen Schlußfolgerungen aus solchen Äußerungen ziehen mag!

Es ist ein reizvolles Spiel, den Geschlechtergegensatz immer weiter zu polarisieren und Gegentypen zu entwickeln, die nachher nichts mehr miteinander zu tun haben. Die Vielfalt der Übergänge zwischen den Menschen wird zu einer abstrakten Begrifflichkeit.

Eine Nivellierung der Geschlechter, durch die alle Unterschiede aufgehoben würden, ist irreal, würde die Welt außerdem langweilig werden lassen und würde der Frau all jene Nachteile bescheren, die auch der männlichen Rolle mit ihrer Verkrampfung, Einengung, Leistungsbetonung, Gefühlsverkümmerung innewohnen.

Das muß auch Konsequenzen für die individuelle Beziehung des Paares haben. Insgesamt ist die Einbettung der Sexualität in eine umfassende partnerschaftliche Beziehung wichtig, die vor allem eine einseitige Überbetonung der Sexualität vermeiden hilft.

Entscheidend für ein Miteinander ist, daß der Mann sein aggressives Selbstleitbild relativiert, aufmerksamer, behutsamer, anpassungsbereiter und einfühlungsfähiger wird, und daß die Frau sich als sexuelles Wesen bejaht und Freude an eigener Aktivität und deutlicher Akzentuierung von Wünschen und Neigungen bekommt. So könnten die wirklichen, natürlichen und gottgewollten Geschlechtsdifferenzen sich kreativ und positiv auswirken.

Aus der Sicht des Neuen Testamentes sind Mann und Frau gleichwertig, aber nicht gleichartig. Wesensmerkmale des Geschlechtes und der Veranlagung sind schöpfungsbedingt. Das bedeutet aber keine unterschiedliche Bewertung der Qualität des Männlichen und Weiblichen. Das Neue Testament spricht Mann und Frau spezielle Aufgaben zu. Die Zuordnung der Geschlechter wird in 1. Korinther 14, in Epheser 5, in 1. Timotheus 2 und 1. Petrus 3 angesprochen. Der Apostel Paulus verwendet das Bild des Hauptes. Epheser 5,23+25: »Denn der Mann ist das Haupt der Frau, wie auch Christus das Haupt der Gemeinde ist ... Ihr Männer, liebt eure Frauen, wie auch Christus die Gemeinde geliebt hat und hat sich selbst für sie dahingegeben.«

Man wird in diesem Zusammenhang nicht leichtfertig und oberflächlich mit Bibelstellen argumentieren dürfen. Oftmals werden biblische Worte durch andere biblische Aussagen ergänzt. Dies ist zu beachten, damit die Gewichte einer biblischen Feststellung nicht eine einseitige und damit unbiblische Schlagseite erhalten. Mit entscheidend ist nämlich auch die Aussage in Galater 3,28: »Hier ist nicht Jude noch Grieche, hier ist nicht Sklave noch Freier, hier ist nicht Mann noch Frau; denn ihr seid allesamt einer in Christus Jesus.« Das Neue Testament nimmt demnach nicht eine Nivellierung geschlechtlicher Unterschiede vor, sondern ordnet diese ein in die Einheit in Christus. Frauen und Männer haben an demselben Heil vollen Anteil, sind Diener und Dienerinnen des gleichen Herrn, unterstehen beide dem Gebot der Liebe. Das ist die neue Gleichheit von Mann und Frau in Christus.

Die Hinwendung des Mannes zur Frau soll in großer Liebe geschehen. Tyrannisches Verhalten verstößt gegen das Gebot der Liebe. Gott ist Schöpfer und Erlöser für beide und gibt beiden gleichwertige Chancen. »In dem Herrn ist weder die Frau etwas ohne den Mann noch der Mann etwas ohne die Frau; denn wie die Frau von dem Mann, so kommt auch der Mann durch die Frau; aber alles von Gott« (1. Korinther 11,11−12). Hier zeichnen sich Gegenseitigkeit, schöpfungsgemäße Abhängigkeit und Ergänzungsfähigkeit ab. So wird die hierarchische Rangfolge von 1. Korinther 11,3 wesensmäßig ergänzt und harmonisiert.

Die vereinigende Formel »in dem Herrn« entspricht genau Galater 3,28. Es wäre ein Mißverständnis, aus dem Wort vom Haupt und dem Leib eine rein schematische Abhängigkeit zu konstruieren. Vielmehr besagt diese Schriftstelle, daß zwischen zwei Ehepartnern eine geistlich-organisch enge Verbindung besteht. Aus zwei Leben wird ein gemeinsames Leben, wird ein neuer lebendiger Organismus. Dieser Organismus *Ehe* beweist seine Existenz durch den inneren Kreislauf, der gleichermaßen beide

– das Haupt und den Leib – mit Leben durchflutet. Zwar ist dieses neue Gefüge Ehe noch schwach, unsicher und anfällig, bleibt unvollkommen, aber es ist von Gleichwertigkeit und Gleichrangigkeit gezeichnet, es ist ebenbürtig, unteilbar, gleichstehend und gleichbedeutend, wenn auch nicht unterschiedslos. Solche innere Eheentfaltung braucht viel nach innen gerichtete Kraft, um gesunder Organismus zu werden und nicht im Schema steckenzubleiben. Lebensgemeinschaft ist nicht in Rangfolge und Ordnungsgrößen zu kategorisieren. Es geht hier um einen geheimnisvollen Vorgang, denn so sehr auch ein neuer Organismus, eine neue »persona« aus den Persönlichkeiten wird, so wird doch das Selbst dieser beiden Menschen nicht einfach eingeschmolzen, darf nicht eingeschmolzen werden.

Selbst im Intimbereich der Ehe kennt Paulus keine einseitige Abhängigkeit der Frau vom Mann; denn er sagt ausdrücklich, daß die Ehegatten einander gehören (1. Korinther 7,4). Der eine ist jeweils Herr über den Leib des anderen. Die Heilige Schrift stellt die Ehe unter die Liebe Christi. In der Einung von Mann und Frau liegt die Möglichkeit des gleichwertigen Ineinandergreifens in einer beide Partner übersteigenden Liebeseinheit. Jeder für sich ist sozusagen enteignet, hat die Verfügungsgewalt über den eigenen Leib verloren, gehört dem anderen an. Und gleichzeitig sind beide in ihrer Liebe nochmals vereinnahmt von der Liebe Gottes, die menschliche Geschlechtlichkeit ist geradezu von dieser her geschaffen und auf sie hin ausgerichtet.

In all dem ist eine Folge der Heilstatsache des Neuen Testamentes zu erkennen. So kommt es, daß Frauen Mitarbeiterinnen des Apostels sind und ihm Dienste erweisen (Römer 16, 1+3; Apostelgeschichte 18). So beginnt in der Gemeinde Christi die Befreiung der Frau aus ihrer kultischen und rechtlichen Minderwertigkeit und Abhängigkeit, die freilich erst sehr viel später zu ihrer selbständigen Mitarbeit in Gemeindeämtern (Diakonisse, Gemeindehelferin usw.) geführt hat. Zweifellos ermöglichte die Predigt Jesu die neue Stellung der Frau. Dadurch treffen wir auch in der Jüngerschaft Jesu Frauen an.

Natürlich ist ein Spannungsverhältnis zwischen Mann und Frau gegeben. Die Hälfte aller Freuden auf Erden, aber auch die Hälfte allen Unglücks soll dieser Spannung entstammen. Der Krieg der Geschlechter brachte Millionen Opfer, seelisch Verwundete, seelisch Verstümmelte, seelisch Tote. Das Neue Testament will aber, daß alles Liebe wird und zur Liebe führt. »Liebe deinen Nächsten!« Hier ist der Nächste der Mann, die Frau. Die Ehe soll ein Quellgebiet der Freude und der Tragkraft sein, nicht verbissener Geschlechterkampf.

Sexualität in der Ehe

Die Praxis der Eheberatung lehrt, daß Frauen dazu neigen, die Sexualität unterzubewerten und die mit ihr verbundenen Konflikte vermeiden zu wollen. Manchmal setzen sie die Sexualität als Machtmittel ein, oft in Form der Verweigerung. In der Eheberatung begegnen uns sehr viele Frauen, denen »es zuviel« wurde, was der Mann forderte. Solche Frauen sehen in der Sexualität eine mehr oder minder zu vollziehende Pflichtübung. Sie selbst können diesem Vorgang wenig Freude abgewinnen. Manche haben sogar ein schlechtes Gewissen, ihren Ehegatten in Leidenschaft körperlich zu lieben.

Der Mann kann auf diese Weise durchaus leiblich auf seine Kosten kommen. Wie dürftig allerdings müssen die Erwartungen sein, wenn die Frau dabei zurückbleibt! Denn sie ist bei diesem leidenschaftslosen Sexualverkehr der am stärksten leidtragende Teil, gerade weil sie auf den Mann, seine Geduld, seine Zuwendung, seine Zeit und seine Zärtlichkeit angewiesen ist.

Der männliche Sexualtrieb ist egoistisch, und nur durch intensives Bemühen um die Frau und durch die Gemeinschaft läßt sich der männliche Egoismus überwinden.

Männer, die im Berufsleben stehen, meinen allzuoft, auch daheim den Vorgesetzten spielen zu können. Auf der anderen Seite sind manche Frauen körperlich kalt, ja ablehnend – sei es, weil sie am Anfang schlechte Erfahrungen gemacht haben und ihnen nun die sexuelle Liebe als solche zuwider ist; sei es, weil sie Furcht vor den Folgen oder einfach anerzogene Hemmungen haben. Sie vermögen sich nicht hinzugeben, wie es in der Ehe sein soll und was zwei Menschen, die sich lieben, glücklich macht.

Es ist erstaunlich, wie trotz aller Sexualisierung unserer Gesellschaft das erotische und sexuelle Glück in mancher Ehe ein Schattendasein fristet. Viele verstehen ihre Sexualität falsch und meinen, die Beglückung komme auf Kommando. Es findet sich auch noch immer das Vorurteil, daß die sexuelle Beziehung im Grunde eine unreine, wenn nicht sogar sündige Angelegenheit sei.

Ein junges Ehepaar tritt nach einem Vortragsabend in einer Großstadt an mich heran:»Wir haben Schwierigkeiten. Zwar könnten wir nach vier Ehejahren und einem Kind sehr glücklich sein. Wir wissen uns in unserer Ehe geführt. Und doch...« Ich sehe beide an. Ein sympathisches Paar, das zusammenpaßt und sich im Gespräch auszudrücken versteht. »Und doch haben wir Probleme«, sagt sie. »Ich fürchte mich vor allem Körperlichen, manchmal spüre ich eine tiefe Abneigung bis hin zu Gefühlen der Übelkeit. Ich liebe aber meinen Mann, und ich will ihm nicht wehtun.«

»Ich habe den Eindruck«, fügt er hinzu, »daß meine Frau zu ihrem Körper und der Leiblichkeit in der Ehe kein reifes Verhältnis gefunden hat. Auch habe ich als Mann sicher Fehler gemacht, weil ich ihr innerstes Wesen und ihre seelischen Reaktionen nicht verstand. Wir litten beide darunter, daß wir als junge Menschen sehr gehemmt waren. In der Ehe fanden wir uns plötzlich mehr erschrocken als glücklich wieder, denn niemand hatte uns ein Rüstzeug vermittelt, keiner hatte uns auf die Ehe vorbereitet. Manchmal fürchten wir uns voreinander und verzweifeln fast. Dann gibt es harte Worte.«

»Wir hatten beide ganz liebe Eltern«, sagt sie. »Aber Vater und Mutter sprachen nicht mit uns über die nötigsten Dinge des Körpers. So entstand ein Zwiespalt in uns, und wir wußten nicht: Ist das nun heilig oder ist das sündig? Bis in die Träume hinein verfolgt uns das Verhältnis von Eros und Ehe, weil wir die seelischen und körperlichen Bedürfnisse des anderen nicht zu stillen vermögen. Muß denn die Leiblichkeit des Menschen so notvoll sein? Wir zerbrechen daran!«

Diese Bilanz einer Ehe fordert zum Nachdenken über die Leiblichkeit auf, gerade weil in unserer aufgeklärten Zeit die Orientierungslosigkeit des modernen Menschen zunimmt. Es ist unsere Pflicht geworden, klare Leitlinien in den Verbänden und Gemeinden zu erarbeiten, um besonders jungen Menschen und Ehepaaren Orientierung und Ausrichtung zu ermöglichen.

Die Körperlichkeit ist die materielle Seite des Menschen, als vollwertiges Gebiet durch Gott ins Dasein gerufen. Der Leib ist nicht geringer als die Seele, nicht minderwertiger als der Geist. Er ist gestaltete Seele = geformter Geist. Zwar ist er wie alle Materie vergänglich, doch ist er wegen seiner Vergänglichkeit nicht gering zu achten. Das wäre Verachtung der Schöpfung und Verletzung der Ehre Gottes. Gott wollte diesen Leib, auch wenn er oft mißhandelt, gequält, vergötzt und erniedrigt wurde.

Es ist ein Geschenk Gottes, wenn Leiblichkeit zur Brücke zum Du werden darf. Die Liebe der Geschlechter, das sexuelle Gebiet und die Triebstruktur des Menschen sind kein isolierter Bereich, sondern integriert in den großen Zusammenhang der Ordnung Gottes. Sie sind eingebaut in den schöpfungsgemäßen Lebensrhythmus des Menschen. Dieser Schöpfungsrahmen umfaßt Geburt und Tod, Jungsein und Altsein, Gesundheit und Krankheit, Zeugungskraft, Fruchtbarkeit und Mutterschaft. Die Sexualität des Menschen ist von daher hineingenommen in Liebe und Verstehen, in Hingabe und Vertrauen, in Geborgenheit und Wärme, in Treue und Verpflichtung, in Ehe und Familie. Wird Sexualität aus diesem Rahmen herausgenommen, dann kommt es zur Enttäuschung, Entfremdung und Zerrüttung der Ehe. Nicht der befreite Mensch, sondern psychische Schäden und eine erstorbene Erotik bis hin zu sexueller Abartigkeit sind dann das Ergebnis.

Dieser schöpfungsgemäßen Eingliederung in den natürlichen Rhythmus des Lebens bedarf auch der gläubige Christ. Biblischer Glaube zwingt zu keiner Abwertung des Geschlechtlichen, er weiß um die Freude der Leiblichkeit. Bei aller Seelsorge an jungen Menschen und Ehepaaren ist das zu berücksichtigen.

Dem Ehepaar muß wichtig sein, die Andersartigkeit des Erlebens beim Mann und bei der Frau zu verstehen. Seelsorge wird aufzeigen, daß weibliche Geschlechtlichkeit anders ist als die männliche. Es gibt Männer und Frauen, die sich über Jahrzehnte ihres Lebens hinweg nicht bejahen und annehmen können: Frauen, die Schwierigkeiten haben mit ihrer weiblichen Wesensart, diese nur verschämt und scheu leben und deshalb stark gehemmt und unsicher sind. Ihre Befangenheit macht sie oft unfroh und ängstlich. Ebenso geht es den Männern, die trotz ihrer Robustheit und körperlichen Kraft ihre seelische Schwäche empfinden und die ihre Geschlechtlichkeit über lange Zeiträume hinweg nicht einordnen und verarbeiten konnten. Sie spüren: Ich bin noch psychisch verkantet; mein Gemüt ist seelisch verknotet; ich verkrafte meine Triebimpulse nicht. Ihre Komplexe äußern sich oft in Unbeholfenheit, Eckigkeit und Lautstärke. Und doch können sie wiederum sehr empfindsam und feinfühlig sein. Solch eine ichgebundene, geschlechtsorientierte Verkrampfung kann zu folgenschweren Erstarrungen und zu Ersatzlösungen führen. Es ist nicht gut, sein Wesen abzulehnen und seine Leiblichkeit zu verneinen.

Zum heilenden Geschehen gehört eine ruhige Gelassenheit, die zum Ja zu sich selbst führt. Die Heilige Schrift weiß um diesen

Weg: »Meine Seele ist still zu Gott, der mir hilft« (Psalm 62,2). In dieser Geborgenheit erfährt man seine Sinngebung, Geschlechtlichkeit bekommt ihre Deutung und Bestimmung, der Mensch entdeckt sich, erlebt und erkennt sich.

Wer sich selbst angenommen, wer sich selbst gefunden hat, wird fähig, sich selbst wieder loszulassen, frei zu werden von der Ich-Bindung. Er wird im wörtlichen Sinne selbst-los, um sich dem anderen, dem Nächsten zuzuwenden. Auch die Ehe braucht das. Man darf sie nicht auf zu schmaler Plattform bauen. Schönheit und Liebe sind zu wenig. Zum tragfähigen Fundament der Ehe gehört eine ernsthaft gemeinsame Lebensaufgabe.

Viele Ehen wurden nie wirklich gelebt. Nach einer Zeit des »Schwärmens« wurden sie nach tiefgreifender Ernüchterung als qualvolle Last weitergeschleppt. Nur selten geschieht das Wunder, daß aus einer verödeten Zweisamkeit wieder eine wirkliche Ehe wird. Immer wieder müssen Mann und Frau ihre einmalige, einzigartige Gemeinschaft neu gestalten. Das Glück der Ehe ist kein Haben, sondern ein Werden und Sein.

Die Grundlagen und Voraussetzungen für das Gelingen der späteren Ehe werden heute schon lange vor der Heirat bestimmt. Vätern und Müttern ist damit ein großes Stück Verantwortung auferlegt, um ihre Kinder davor zu bewahren, daß sie übereilt aus Leichtsinn, Zufall und erotischer Abenteuerlust heiraten. Ein gesundes Leibverständnis vor und in der Ehe verlangt Nüchternheit und Arbeit aneinander, ja bis zu einem gewissen Maß auch Gegensätzlichkeit und Spannung. Nur daraus erwächst fruchtbare Gemeinsamkeit.

Immer wieder begegnet dem Eheberater die Unfähigkeit vieler Frauen, ihre im Grunde vorhandene Zuneigung zu einem Mann auch körperlich auszudrücken. Anorgasmie, ja sogar allergische Hautausschläge sind Symptome der Frigidität, die sich gegen den Sexualakt wehrt. An der Vertiefung – manchmal auch an der Entstehung – dieses Komplexes sind häufig Männer schuld. Anstatt die Frau behutsam aus dem verklemmten elterlichen Einfluß zu lösen, geduldig auf kleine Schritte der Befreiung zu warten, zärtlich die Freude an der seelischen Gemeinschaft mit der allmählich wachsenden körperlichen Übereinstimmung zu verbinden und behutsam der leidenschaftlichen Vereinigung ein ausgedehntes Vorspiel vorangehen zu lassen, gehen sie oft gleich »aufs Ganze«. Dabei wirkt sich die unterschiedliche Triebhaftigkeit von Mann und Frau bei diesem Ehekonflikt besonders ungünstig aus, zumal wenn sie durch Erziehung nachteilig beeinflußt wurde.

Die Sexualität der Frau ist nicht so sehr auf die Sexualorgane beschränkt. Sie empfindet mit ihrem ganzen Körper und mit ihrer ganzen Seele das Bedürfnis nach Liebe und Zärtlichkeit. Beim Mann lokalisiert sich sexuelle Empfindung und Erregung stärker in den Sexualorganen. Ihn drängt es in diesem Zustand stärker nach einer sexuellen Vereinigung. Wenn man so will, ist die Frau das Wesen, das Sexualität stärker in die ganze Person aufnehmen kann. Andererseits sind manche Frauen durch eine antisexuelle Erziehung gehemmt und dazu deshalb nicht in der Lage. Diese Frauen müssen durch den Mann behutsam zu einem umfassenden, auch das Körperliche einschließende Erleben geführt werden.

Vor allem aber muß der Mann aus seiner genitalen Fixierung, aus der Beschränkung seines Erlebens auf die Sexualorgane, herausgeführt werden zu einer umfassenden Liebe und Zärtlichkeit zum Partner, die nicht nur an sich denkt, sondern vor allem auch an den anderen. Denn in einer Partnerbeziehung kann der eine nur glücklich sein, wenn auch der andere glücklich ist. Beide haben einander nötig, beide sind von Natur und Bestimmung aufeinander angelegt. Unsere Mitmenschen sprechen es meist nicht aus, wären aber von Herzen dankbar, wenn Verkündigung und Beratung den menschlichen und seelsorgerlichen Akzent zu diesem Thema nicht verweigern würden. Es gibt Menschen in unserem Umfeld, die auf ein Wort der Wegweisung warten.

»Typisch Frau!« – »Typisch Mann!«

Wie kann ein Mann etwas zu seiner Frau sagen, das sie bis ins Innerste verletzt, und eine Stunde später erwarten, daß sie seine Zärtlichkeiten erwidert? Warum fühlt sich ein Mann verpflichtet, seine Frau zu belehren, wenn er sieht, daß ihre Gefühle verletzt sind? Wie kann ein Mann neben seiner weinenden Frau liegen, ohne ein Wort zu sagen, wenn sie sein Mitgefühl und seine Anteilnahme bräuchte?

Diese Situationen sind keine Ausnahmen; sie sind der Normalfall in vielen Ehen. Wenn Ehepaare in meine Sprechstunde kommen, sind sie meistens überrascht, daß ich nicht vor lauter Schreck vom Stuhl falle, wenn sie mir ihre Gefühle beschreiben. Sie können einfach nicht glauben, daß ihre Erfahrungen etwas Alltägliches sind. Jede Ehe und jeder Mensch ist einzigartig, aber die Probleme, denen die Menschen gegenüberstehen, sind praktisch immer dieselben.

Viele Probleme eines Ehepaares beruhen auf einer ganz einfachen Tatsache: Männer und Frauen sind total verschieden. Die Unterschiede auf emotionalem, psychischem und physischem Gebiet sind so extrem, daß ohne die gemeinsamen Bemühungen von Mann und Frau, zu einem realistischen Verständnis des anderen zu gelangen, eine glückliche Ehe fast undenkbar ist. Ein bekannter Psychiater sagte einmal: »Nachdem ich die Frauen dreißig Jahre lang studiert habe, frage ich mich: ›Was wollen sie eigentlich?‹« Wenn er schon zu diesem Schluß kommt, können Sie sich wohl vorstellen, wie wenig Ihr Mann wirklich von Ihnen weiß! Höchstwahrscheinlich haben Sie immer angenommen, daß es ihm einfach egal ist, ob er Sie verletzt oder nicht.

Doch er ist eben ein Mann, und viele der verletzenden und gefühllosen Handlungen, die Sie bei ihm erlebt haben, sind Folge seiner Natur. Das heißt aber nicht, daß Sie sich damit abfinden müssen, mit einem gefühllosen Mann zusammenzuleben – ganz im Gegenteil. Wenn Sie erst einmal einige der dargestellten grundlegenden Unterschiede erkannt haben, können Sie ihm helfen, seine natürlichen Eigenschaften ins Gleichgewicht zu bringen.

Bevor wir nun die einzelnen physiologischen und psychologischen Unterschiede betrachten, möchte ich Ihre Aufmerksamkeit zunächst auf die allgemeinen Unterschiede und deren Auswirkungen auf Ihre Beziehung lenken. Das beste Beispiel zur Illustration dieser Unterschiede ist meiner Meinung nach der Vergleich zwischen einem Schmetterling und einem Büffel.

Der Schmetterling besitzt ein feines Empfindungsvermögen. Er spürt selbst den leisesten Lufthauch. Er flattert über dem Boden und nimmt so seine Umgebung in ihrer ganzen Fülle wahr. Er bemerkt sogar die Schönheit der allerkleinsten Blume. Wegen seiner Empfindsamkeit erkennt er sofort alle Veränderungen um ihn herum und kann auf die geringste Änderung in der Umgebung sofort reagieren. Allem, was ihn verletzen könnte, kann er so behende ausweichen. Wenn ein winziges Kieselsteinchen auf seinem Flügel befestigt würde, würde der Schmetterling schwer verwundet werden und schließlich sterben.

Der Büffel dagegen ist kräftig und unempfindlich. Auf einen Lufthauch reagiert er nicht. Selbst ein stürmischer Wind läßt ihn unbeeindruckt. Er läßt sich dadurch nicht in seiner Beschäftigung stören. Die winzigen Blumen nimmt er überhaupt nicht wahr, und von geringfügigen Veränderungen in seiner Umgebung nimmt er keine Notiz. Würde man einen Kieselstein auf seinem Rücken befestigen, würde er ihn wahrscheinlich nicht einmal bemerken.

Die Analogie ist offensichtlich. Ihr Mann ist der Büffel und Sie sind der Schmetterling. Er neigt eher dazu, sich seinen Weg durch die Umstände hindurch zu »pflügen«, während Sie das Leben und Ihre Umgebung mit sehr viel mehr Sensibilität »erfühlen«. Das »Kieselsteinchen auf dem Schmetterlingsflügel« kann die Gestalt einer sarkastischen Bemerkung, einer scharfen Kritik oder sogar einer gleichgültigen Haltung haben. Was es auch sein mag, es kann Sie verletzen und sogar niederschmettern, während er vielleicht gar nicht bemerkt, was er getan hat.

Der Büffel kann nie etwas von der Sensibilität des Schmetterlings annehmen, und der Schmetterling wird nie von der Stärke des Büffels profitieren. Deshalb endet hier die Analogie.

Mit Ihrer Ehe verhält es sich nämlich ganz anders. Ihr Mann *kann* lernen, sanft, sensibel und romantisch zu werden, aber allein wird er es wohl nicht schaffen. Er kann es lernen, aber er braucht Ihre Hilfe.

Nun wollen wir einige der Unterschiede zwischen Mann und Frau näher betrachten; nämlich die auf der Ebene der Psyche, der Gefühle, des Körpers und der Sexualität. Die einzelnen Punkte werden keinesfalls erschöpfend behandelt, sie werden Ihnen aber zumindest ein besseres Verständnis der Unterschiede vermitteln, die meistens nicht genug beachtet werden.

Unterschiede auf der Ebene der Psyche und Gefühle

Frauen neigen dazu, »persönlicher« als Männer zu sein. Sie haben ein tiefergehendes Interesse an Menschen und Gefühlen, während Männer eher dazu neigen, sich mit den praktischen Gegebenheiten zu befassen, die durch logisches Denken erfaßt werden können.

Dr. Cecil Osborne sagt, daß Frauen dazu neigen, »ein engverbundener Teil« der Menschen, die sie kennen, und der Dinge, die sie umgeben, zu werden. Zwischen ihnen und ihrer Umgebung besteht eine gewisse Art des »Einsseins«. Ein Mann hat zwar eine Beziehung zu Menschen und Situationen, aber er läßt es für gewöhnlich nicht zu, daß seine Identität mit ihnen verwoben wird. Irgendwie bleibt er distanziert. Eine Frau kann deswegen so leicht verletzt werden, wenn andere ihr Heim kritisieren, weil sie es gewissermaßen als ein Stück von sich selbst ansieht.

Wegen der emotionalen Identifizierung mit Menschen und Umgebung braucht eine Frau mehr Zeit, um eine Veränderung zu verarbeiten, als ein Mann. Ein Mann kann die Vorteile einer Veränderung logisch erfassen und sich darauf einstellen. Bei einer Frau ist das anders. Sie hat sofort die unmittelbaren Folgen der Veränderung und die Schwierigkeiten, die sie für sie und ihre Familie mit sich bringen könnte, vor Augen. Sie braucht Zeit, um sich erst einmal an eine veränderte Situation zu gewöhnen; erst dann kann sie sich für die Vorteile dieser Veränderung erwärmen.

Es gelang Steve und Bonney nur schwer, ausreichend Geld für das Essen zusammenzubekommen. Er arbeitete achtzehn Stunden am Tag für sein kleines Geschäft, und sie mindestens acht (dabei war sie im siebten Monat schwanger). Dann flog er an die Ostküste der USA, um einem Multimillionär seine geschäftlichen Pläne zu unterbreiten. Der Mann war beeindruckt und machte Steve ein größzügiges Angebot. Steve konnte es kaum erwarten, Bonney anzurufen und ihr die wunderbare Neuigkeit mitzuteilen.

Steve brauchte nicht einmal fünf Minuten, um das Angebot anzunehmen. Das war eben das einzig »Vernünftige«. Er rief Bonney an und erzählte ihr die Neuigkeit in »logischer« Reihenfolge, damit sie sich ebenso wie er dafür begeistern könnte. Er sagte:»Erstens, wirst du nicht mehr arbeiten müssen. Zweitens, gibt er mir 20 Prozent vom Profit (er sagt, in einem Jahr bin ich

Millionär). Drittens, du glaubst gar nicht, wie schön es hier ist, und er übernimmt alle Umzugskosten.«

Steve war schockiert, als Bonney hemmungslos zu weinen begann. Zuerst dachte er, sie weinte vor Freude. Sobald Bonney trotz ihres Schluchzens wieder sprechen konnte, stellte sie einige Fragen, die Steve für vollkommen lächerlich hielt. Sie stellte Fragen wie:»Und was ist mit unseren Eltern? Und die Wohnung – ich habe gerade das Kinderzimmer eingerichtet?« Nach ihrer dritten Frage beendete Steve, mit all seiner männlichen»Vernunft«, abrupt das Gespräch. Sie wagte tatsächlich, ihn zu fragen, ob er denn vergessen habe, daß sie im siebten Monat sei!

Er ließ ihr ein bis zwei Stunden Zeit, sich wieder zu beruhigen, dann rief er zurück. Sie hatte die Fassung wieder gefunden und willigte ein, an die Ostküste zu ziehen und alles zurückzulassen: ihre Eltern, ihre Freunde, ihren Arzt, ihren Säuglingspflegekurs und das Kinderzimmer, das sie mit viel Zeitaufwand und Mühe für ihr erstes Kind hergerichtet hatte.

Bonney brauchte beinahe acht Monate, um sich an eine neue Situation zu gewöhnen, wofür Steve nur wenige Minuten gebraucht hatte. Steve ist nie zu seiner Million gekommen. Das Geschäft»platzte« acht Tage vor der Geburt ihres Babys, und sie zogen wieder in eine andere Stadt, immer noch Tausende von Kilometern von ihrem Heimatort entfernt. Steve hat schließlich seine Lektion gelernt, und heute trifft er keine größere Entscheidung, wenn Bonney nicht damit einverstanden ist. Sobald er eine Veränderung absehen kann, sagt er es ihr, damit sie reichlich Zeit hat, sich mit dem Gedanken vertraut zu machen. Doch Steve wird nie vergessen, daß seine Frau ihm so oft aus Liebe Opfer gebracht hat. Er sieht sogar ein, daß Fragen wie:»Und was ist mit unseren Eltern?« oder»Und was ist mit dem Kinderzimmer?« wichtiger sein können als Geld.

Physische Unterschiede
Männer und Frauen sind in jeder Zelle ihres Körpers verschieden. Dieser Unterschied in der Chromosomenkombination ist überhaupt die wesentliche Ursache für die Entwicklung des Geschlechts.

Frauen haben von Natur aus eine größere Vitalität, vielleicht wegen dieses Chromosomenunterschiedes. Sie leben im Durchschnitt drei bis vier Jahre länger als Männer.

Bei Frauen ist der Stoffwechsel gewöhnlich niedriger als bei Männern. Es gibt auch Unterschiede im Knochenbau und bei den inneren Organen.

Frauen haben einige wichtige Körperfunktionen, die die Männer nicht haben – Menstruation, Schwangerschaft, Stillen. Frauen haben andere und mehr Hormone als Männer. Diese Hormone haben einen Einfluß auf Verhalten und Gefühle.

Die Schilddrüse funktioniert bei Mann und Frau unterschiedlich. Bei Frauen ist die Schilddrüse größer und aktiver, bei Schwangerschaft und Menstruation vergrößert sie sich. Sie ist verantwortlich für die größere Neigung zur Kropfbildung bei Frauen, die Widerstandsfähigkeit gegen Erkältungen, die glatte Haut, die geringe Körperbehaarung und die dünne Unterhautfettschicht.

Das Blut der Frau enthält mehr Wasser als das des Mannes (20 Prozent weniger rote Blutkörperchen). Da die roten Blutkörperchen die Körperzellen mit Sauerstoff versorgen, werden Frauen schneller müde und neigen eher zu Ohnmachtsanfällen. Also nur umgerechnet auf die Lebensdauer haben sie eine bessere Konstitution. Als während des Krieges die Arbeitszeit in britischen Fabriken von zehn auf zwölf Stunden erhöht wurde, nahmen die Unfälle bei Frauen um 150 Prozent zu, bei Männern dagegen überhaupt nicht.

Die reine Körperkraft kann bei Männern um 50 Prozent höher sein als bei Frauen.

Bei Frauen schlägt das Herz im Durchschnitt schneller (80 Schläge pro Minute gegenüber 72 bei Männern). Ihr Blutdruck (10 Meßeinheiten niedriger als bei Männern) variiert von Minute zu Minute, doch sie neigen viel weniger zu Bluthochdruck – wenigstens bis zu den Wechseljahren.

Die Ein- bzw. Ausatmungskapazität ist bei Frauen deutlich geringer als bei Männern.

Frauen können hohe Temperaturen besser verkraften, da sich bei ihnen der Stoffwechsel weniger verlangsamt als bei Männern.

Unterschiede im Bereich der Sexualität
Das sexuelle Verlangen der Frau hängt größtenteils von ihrem Monatszyklus ab, das des Mannes ist relativ konstant, es wird hauptsächlich von dem Hormon Testosteron gesteuert. Frauen reagieren viel mehr auf Berührungen und zärtliche Worte. Sie werden eher von der Persönlichkeit eines Mannes angezogen, während für Männer das Aussehen der Frau eine große Rolle spielt.

144

Während ein Mann wenig oder gar keine Vorbereitung für den Geschlechtsverkehr braucht, muß die Frau emotional und seelisch darauf vorbereitet sein. Dabei ist eine für sie zärtliche Zuwendung nötig, während eine grobe und beleidigende Behandlung ihr sexuelles Verlangen blockieren kann. Wenn der Mann keinerlei Rücksicht auf die Gefühle seiner Frau genommen hat, kann sie sogar Widerwillen gegen seine Zärtlichkeiten empfinden. Viele Frauen sagten mir, sie seien sich wie Prostituierte vorgekommen, wenn ihr Mann sie gezwungen hat, mit ihm zu schlafen, obwohl sie ihm innerlich grollten. Ein Mann macht sich vielleicht gar keine Vorstellung davon, was er seiner Frau damit antut.

Diese grundlegenden Unterschiede sind die Ursache für viele Konflikte in der Ehe. Und sie treten meist sehr schnell nach der Hochzeit zu Tage. Die Frau weiß intuitiv viel besser, wie eine liebevolle Beziehung aufgebaut wird. Aufgrund ihrer Sensibilität nimmt sie mehr Rücksicht auf die Gefühle ihres Mannes und setzt alles daran, eine sinnvolle, vielschichtige Beziehung aufzubauen – d.h. eine Beziehung mit vielen Facetten, die mehr ist als nur eine sexuelle Partnerschaft. Sie möchte für ihren Mann Geliebte und beste Freundin sein, ihn bewundern und ihm ein Zuhause geben und seine gleichwertige Partnerin sein. Der Mann weiß hingegen im allgemeinen nicht rein intuitiv, wie die Beziehung sich gestalten soll. Er weiß nicht intuitiv, wie er seine Frau ermutigen und lieben soll, oder wie er sich ihr gegenüber verhalten soll, um ihre tiefsten Bedürfnisse zu erfüllen.

Da er kein intuitives Verständnis dieser wichtigen Dinge besitzt, muß er sich ganz auf das Wissen und die Kenntnisse stützen, die er vor der Ehe erworben hat. Die meisten Männer wissen alles über Sex und sehr wenig über echte, selbstlose Liebe, wenn sie heiraten. Ihr Mann wird daher nur durch Ihr Vorbild und Ihre Hilfe lernen können, Ihnen und den Kindern die Liebe zu geben, die Sie brauchen.

Ich will damit nicht sagen, daß Männer egoistischer sind als Frauen. Ich meine nur, daß der Mann am Anfang einer Ehe einfach nicht dieselbe Fähigkeit wie eine Frau besitzt, selbstlose Liebe auch auszudrücken.

»Du bist Du!« den anderen annehmen

Es klingelt. Ein Ehepaar steht vor der Tür. Irgend jemand hat den beiden unsere Adresse gegeben. Sie wollen uns unbedingt sprechen. Dies sei der letzte Versuch, ihre Ehe zu retten, aber wahrscheinlich sei sowieso alles schon zu spät, äußert die Frau, während ich ihre Mäntel in die Garderobe hänge.

Dann sitzen wir uns gegenüber, dieses Ehepaar, mein Mann und ich.

Wir brauchen uns nicht anzustrengen, um ins Gespräch zu kommen. Aus der Frau sprudelt es heraus, als habe sie nur auf diese Gelegenheit gewartet. Spannungsgeladen, vorwurfsvoll und anklagend berichtete sie ihre Probleme.

»Schon von Anfang an war eigentlich alles verkehrt. Ich habe meinen Mann eigentlich nur aus Mitleid geheiratet. Im Laufe der Jahre opferte ich mich völlig für ihn auf. Aber er schien davon überhaupt nichts wahrzunehmen. Nie kam ein Dank, nie Resonanz. Sex, ja dafür war er immer zu haben. Aber Gefühle kennt er keine! Wie ein unförmiger Elefant trampelt er über mein Leben, zerstört mich im Innersten. Da ist kein liebes Wort. Zu Anfang hat er mir wenigstens mal übers Haar gestrichen. Jetzt bemüht er sich überhaupt nicht mehr. Anderen hilft er in den Mantel. Mir nicht. Ich komme mir vor wie der letzte Dreck.«

Bislang hatte der Mann schweigend im Sessel gesessen, seine Augen nach unten gesenkt. Doch nun richtete er sich auf.

»Du hast eine Menge vergessen«, äußerte er sarkastisch, »ich gehe fremd, verprasse mein Geld für mich allein, treibe mich abends in Kneipen herum, rauche wie ein Schlot, verprügle dich zweimal am Tag ...«

Jetzt fällt ihm die Frau ins Wort: »Hör endlich auf mit dem Quatsch! Das weißt du selbst, daß davon nichts stimmt! Ich habe trotzdem keine Gefühle mehr für dich. Und weil ich keine Gefühle mehr für dich habe, wäre es eine Lüge, bei dir zu bleiben.«

Gefühle! Wir Frauen sind voll davon. Für den Mann erscheinen wir dadurch häufig kompliziert und unlogisch. Diese Gefühle treiben uns gelegentlich zu Entscheidungen, die wir kaum erklären können, die aber intuitiv trotzdem oft richtig sind. Die

Abhängigkeit von diesen Gefühlen kann uns aber auch in ernsthafte Probleme stürzen.

Während der Mann meist in der Weise argumentiert: Aufgrund von... komme ich zu dem Ergebnis, daß..., äußert die Frau oft nur: Ich spüre... oder: Ich fühle...

Von daher ist die Frau für den Mann rational oft nicht faßbar und viele Männer hören deshalb ihren Frauen auch gar nicht mehr richtig zu. Andererseits wollen aber viele Frauen z.b. auch nicht viel von der Arbeitsstelle ihrer Männer wissen, weil alles, was diese erzählen, viel zu kalt und nüchtern ist und sie scheinbar immer das Wichtigste übersehen oder auslassen.

Das Gefühl, nicht für voll genommen zu werden, vermittelt der Frau den Eindruck, nicht geliebt zu sein. Und dies wiederum führt zu Selbstwertzweifeln und der Frage, welche Bedeutung sie denn eigentlich hat. Viele Frauen suchen sich deshalb auch eine Arbeitsstelle, um quasi sich selbst zu beweisen, daß sie etwas können. Das, was Gott als Ergänzung füreinander geschaffen hat, die Wärme und die Gefühle der Frau, die die Logik des Mannes mit Herz und Leben füllen sollen, wird nun zum Kampfmittel für Verletzungen: Statt daß der Mann ein sensibles Empfinden für die Gaben seiner Frau entwickelt, verschließt er sich vor ihr. Eine besonders tragische Folge solch einer Überhörung der Frau sehen wir bei Pontius Pilatus: Der mutige Einsatz seiner Gattin hielt ihn nicht davon ab, Jesus der Kreuzigung zu überantworten. Das ebenfalls negative Gegenstück finden wir bei dem überaus weisen König Salomo. Er versetzte sich so stark in die Gefühlswelt seiner Frauen, daß er schließlich von dem lebendigen Gott abfiel und den Götzen seiner Frauen diente.

Das Gefühl einer Frau kann aufbauend und zerstörend wirken. Vielleicht hat Gott deshalb die überlegene, scheinbar kalte Logik des Mannes als Ergänzung dazugesetzt.

Eigentlich ist kein Ehemann tagtäglich mit derselben Frau verheiratet. Die ständig sich verändernden Hormone während des Zyklus der Frau wirken stark auf ihre Gefühlswelt. Während im ersten Teil des Zyklus das Östrogen langsam steigt und dominiert, steht im zweiten Teil das Progesteron im Vordergrund. Diese Hormone wirken auf den gesamten Organismus, was sich in einer Erhöhung oder Verminderung der Körpertemperatur auswirkt, sich zeigt in der Festigkeit oder Weichheit des Gebärmuttermundes und in vielen anderen Symptomen, bis hin zum frisierwilligen oder widerspenstigen Haar.

Um wieviel stärker sind die Sinne betroffen! Da laufen in gewissen Zeiten des Zyklus viel schneller die Tränen, sie ist weniger belastbar, reagiert viel schneller und empfindlich, und der normale Wäscheberg wird zum unüberschaubaren Hindernis. Mancher Mann wundert sich über die scheinbare Unberechenbarkeit seiner Frau. Und vielen Frauen fällt es auch schwer, sich so anzunehmen – vielleicht, weil sie sich selbst nicht mehr verstehen.

Mit ihrem Zyklus leben lernen, ist eine der Aufgaben, die jede Frau lernen sollte, um nicht ständig mit sich selbst unzufrieden zu sein. Das heißt ganz praktisch, daß ich lerne, mich in den Zeiten zu schonen, in denen ich weniger belastbar bin, und – wenn es geht – nicht gerade dann meinen Hausputz plane. Bei den meisten Frauen fällt diese Unzufriedenheit und Abgespanntheit in die Zeit vor ihrer Menstruation. Man nennt dieses Symptom prämenstruelles Syndrom. Viele Frauen leiden darunter. Als Hilfe möchte ich weitergeben:

Je mehr wir lernen, Ja zu sagen zu den Dingen des Lebens, die unabdingbar sind – und dazu gehört eben auch der Zyklus –, um so weniger sind wir dadurch gebunden und blockiert. Desto mehr verlieren sie auch den negativen Einfluß auf uns.

Unsere Gefühle treiben uns anfänglich in die Arme des Ehepartners. Eigenartig, daß wir von ihm erwarten, gerade dann in die Arme genommen zu werden, wenn wir unsere negativen Gefühle über ihn losgelassen haben. Dadurch können wir aber die Gefühle unseres Mannes so sehr verletzen, daß er immer weniger fähig ist, uns anzunehmen. Denn auch ein Mann hat verletzbare Gefühle, selbst wenn er das viel weniger nach außen zeigen kann. Jemand hat die Psyche eines Mannes einmal mit einem Glas verglichen. Scheinbar hart und wasser(tränen)fest – aber trotzdem zerbrechlich.

Die Psyche einer Frau könnte man eher mit einem Schwamm vergleichen. Bei jedem Druck oder Berührung läßt er Wasser. Und doch nimmt er sehr schnell wieder die alte Form an, wenn der Druck weicht.

Unsere Gefühle empfindet der Mann oft wie ein Druckmittel und kann sie nicht einordnen. So antwortete ein Mann bei einem unserer Seminare auf die Frage: Wie gehen Sie mit den Tränen Ihrer Frau um: »Ich gehe hinaus und warte, bis es vorbei ist.« Dieser Mann reagierte auf den Ausbruch der Gefühle seiner Frau mit großer Hilflosigkeit. Er wußte einfach nicht, was er hätte tun können. Die Frau aber fühlte sich dadurch von ihm abgelehnt.

Ich glaube, daß es keine Frau auf der ganzen Erde gibt, die sich nicht nach Glück sehnt. Und die meisten Frauen heiraten, weil sie meinen, dadurch noch glücklicher zu werden. Dabei ist Glück doch solch eine zerbrechliche Angelegenheit! *Glück fällt nicht einfach in den Schoß. Glück in der Ehe ist eine Arbeit, die täglich geleistet werden muß.* Wer nur darauf wartet, glücklich zu werden, wird scheitern.

Ein Asiate drückte das sehr weise aus:»Ihr Europäer heiratet, wenn der Ofen aufgeheizt und das Wasser darauf am Kochen ist. Aber ihr vergeßt, Holz nachzulegen. Und schließlich erlöscht das Feuer, und auch das Wasser wird kalt. Wir Asiaten heiraten oft, ohne einander wirklich zu kennen. Was ihr Liebe nennt, wächst bei uns sehr langsam, dafür aber stetig und wir achten sehr darauf, Holz nachzulegen.«

»Holz nachlegen«, das ist es, was wir so oft vergessen. Das ist die anstrengende Seite der Ehe, daß jeder an sich weiter arbeiten muß, um sich – für beide Teile befriedigend – in die Partnerschaft einbringen zu können. Diese Seite der Liebe ist schon etwas anstrengend. Ganz konkret heißt das, *daß ich mich in die Andersartigkeit des Denkens und Fühlens meines Partners hineinbegeben muß.* Als nächstes, daß ich seine Aussagen nicht immer gleich als gegen mich gerichtet auffassen darf. Statt dessen soll es zu einer neuen Erfahrung werden, wenn er völlig anders reagiert, als ich erwartet hatte. Etwa so: Aha, so ist er! Für mich eigentlich unverständlich!

Zum anderen muß ich aufhören, ihn verändern zu wollen. Wer in dem Bewußtsein und mit dem Vorsatz geheiratet hat, den anderen schon »hinzukriegen«, wird bitter enttäuscht werden.

Wenn ich jemand ändern kann, dann nur mich selbst!

Fehlende Zärtlichkeit und Romantik sind für Frauen die Hauptargumente, warum sie ihren Ehemann verlassen wollen. »Er zeigt keine Gefühle« – oder »Für ihn bin ich so etwas wie die restliche Wohnungseinrichtung, wichtig, aber nicht unersetzlich« – oder auch »Oft wünsche ich mir, unser Hund zu sein, der wird wenigstens noch gestreichelt«, sind häufige Klagen.

Aus dieser fehlenden Zuneigung heraus zieht sich die Frau innerlich immer mehr von ihrem Mann zurück. Da Denken und Fühlen bei der Frau Hand in Hand gehen, verschließt sie sich ihm schließlich auch körperlich.

Ich sehe Sie vor mir, wie Sie diese Sätze lesen. Vielleicht entrinnt Ihnen gelegentlich ein Seufzer: Genauso ist er! Bitte geben

Sie nicht auf! Das Glück liegt nicht in einer neuen Partnerschaft. Hören Sie auf, sich selbst vorzuspielen, Ihr Unglück beruhe darauf, den falschen Ehepartner geheiratet zu haben.

Der erste Schritt ist, daß Sie Ihre Erwartungshaltung aufgeben und sich entschließen, selbst an Ihrer Partnerschaft zu arbeiten. Die Arbeit besteht darin, den anderen kennenzulernen. So, wie in Ihnen Wünsche schlummern, leben auch in Ihrem Mann in derselben Weise Vorstellungen und Erwartungen – und viele Enttäuschungen.

Beginnen Sie, Ihrem Ehepartner in den Bereichen entgegenzugehen, die für *ihn* wichtig sind.

Bei unseren Eheseminaren benutzen wir oft ein Bild, das sehr gut darstellt, wie unterschiedlich wir als Mann und Frau in unseren tiefsten Bedürfnissen angelegt sind: Da ist ein Tisch mit vier Beinen. Wir nennen ihn gern den Ehetisch. Die eine Seite ist die des Ehemannes. Das Tischbein der Sexualität hat die normale Länge eines Tischbeines. Das andere Tischbein auf seiner Seite, das den Namen Gefühle trägt, ist viel zu kurz geraten, ja geradezu verkümmert. Nun schauen wir die Tischbeine an, die der Frau zugeordnet sind. Bei ihr ist es genau umgekehrt. Das Tischbein der Sexualität ist viel zu kurz gegenüber dem der Gefühle. Dieses Tischbein scheint überhaupt das längste an diesem Tisch zu sein.

Dieses Mißverständnis läßt erahnen, wie wackelig alle Gegenstände stehen, die die Tischplatte trägt. Jeder der Ehepartner hat die Sehnsucht, dem anderen nahe zu sein, nur jeder auf eine völlig andere Weise.

Eine Frau äußerte dies einmal ganz anschaulich so: »Wenn ich mich so richtig in seinen Arm kuscheln kann, mich so recht geborgen bei ihm fühle, bin ich in fünf Minuten eingeschlafen.«

»Ja, aber nur du«, stellte der Mann fest. »Ich fühle dich neben mir, an mir, möchte dir noch näher sein und liege wach, in dem Versuch, mit meinen Spannungen fertigzuwerden.«

Meist ist es aber so, daß die Frau, die sich von ihrem Mann nicht angenommen fühlt, sich immer mehr aus der Nähe ihres Mannes zurückzieht. Sie hat dann Kopfweh oder fühlt sich unwohl. Für sie ist es unverständlich, daß ihr Mann sogar nach einem Streit mit ihr zusammensein will.

Ein Mann aber empfindet ganz anders. Er lebt viel mehr im Jetzt, lebt viel mehr eingleisig. Mancher Mann möchte der Frau durch die körperliche Begegnung geradezu beweisen, daß er sie trotzdem mag. Und ein anderer sagt ohne Worte damit: »Vergib

mir!« Für die Frau sind solche Gedanken fast unvorstellbar, da sich Erlebnisse und Denken im Fühlen total widerspiegeln.
Ein Mann ist eben nicht nur körperlich anders gestaltet. Dieses rein Biologische haben wir Frauen anscheinend auch akzeptiert. Gott hat ihn aber in seinem gesamten Wesen auch völlig anders angelegt. Wenn man sich die Illustriertenthemen vorstellt, die einen Mann interessieren, so könnte man in groben Zügen feststellen: Politik, Sport, Technik, Sex. Für die Frau stehen dagegen Mode, Kochen, Kunst, aber vor allem auch Boulevardzeitschriften im Vordergrund; Hefte, die das Gefühl ansprechen.

Die Werbung nutzt die Versuchbarkeit des Mannes ebenso wie die der Frau aus. Genau da aber, wo unser Ehemann versuchbar ist, sollten wir versuchen, ihn zu erreichen. Und natürlich nicht, um ihn zu versuchen, sondern um ihm die Sicherheit zu geben, daß er von uns angenommen ist mit all seinen Bedürfnissen.

Dies heißt ganz praktisch, daß ich nicht als Voraussetzung für sein körperliches Nahesein erwarte, daß er zuerst meine emotionalen Bedürfnisse gestillt haben muß.

Dies hat mit meiner Willensentscheidung zu tun und nicht mit meinem Gefühl. Gott zeigt uns, was Er mit Liebe meint. In Römer 5,8 steht:»Christus starb für uns, als wir noch Sünder waren.« Gott hatte sicher keine wundervollen Gefühle, als Er uns sündigen sah. Aber Er erkannte die Notwendigkeit unserer Errettung. Und deshalb schuf Er einen Weg zu unserer Erlösung.

»Wenn er mir mehr Zärtlichkeit schenken würde.«

»Wenn er mich öfter loben würde.«

»Wenn er mir mehr helfen würde.«

Hören Sie auf, Ihre Liebe an Bedingungen zu knüpfen! Liebe beweist sich darin, daß sie sich schenkt.

Im Kreise von Frauen belehrte uns eine ältere Dame mit einem Schmunzeln auf dem Gesicht:»Ich warte nicht immer, bis mein Mann zu mir kommt. Gelegentlich gebe ich ihm ein Zeichen, daß er auch ohne ›anklopfen‹ bei mir willkommen ist. Und das ist immer dann, wenn ich ihm ein Bonbon auf den Nachttisch gelegt habe.«

Wir vergessen oft, was Paulus in 1. Korinther 7,4 schreibt:»Die Frau verfügt nicht über ihren Leib, sondern der Mann. Ebenso verfügt der Mann nicht über seinen Leib, sondern die Frau.«

Bei der Hochzeit dürfen wir also offensichtlich unseren Kopf behalten, aber nicht unseren Körper. Weder Mann noch Frau haben ab jetzt das Recht, sich einander zu entziehen. Die Sexualität ist Gottes Hochzeitsgeschenk an das Paar. Sexualität ist etwas Gottgeschaffenes. Wir lesen in 1. Mose 1,31: »Gott sah alles, was er gemacht hatte, und siehe, es war sehr gut!« Diesen Vers finden wir in der Bibel noch vor dem Sündenfall. *Gottes Bestimmung ist es, daß wir uns als Mann und Frau ergänzen, das heißt einander ganz machen, einander schenken, was fehlt.*

Mit der Sexualität gibt Gott jedem Paar die Fähigkeit, zu erkennen, wer der andere ist. Mit »Erkennen« ist in der Bibel gemeint, daß man dem anderen tief in seine Seele schauen kann.

»Adam erkannte sein Weib...« (1. Mose 4,1), das heißt nicht nur, er hatte sexuellen Kontakt mit ihr, sondern viel mehr: Er vollzog ein ganz tiefes Einswerden mit Eva.

Im gezeugten Kind sehen wir bildhaft, was in den Empfindungen der Eltern zuvor geschehen sein sollte: untrennbares Verbundensein, ein neuer Mensch, eine Eheperson. »So sind sie nun nicht mehr zwei, sondern ein Fleisch« (1. Mose 2,24; Matthäus 19,5.6; Epheser 5,28−31).

Wir wissen heute, daß in der Haut eine Vielzahl von Sinneszellen vorhanden sind. Die Haut wird als eigenes Organ bezeichnet, und in der Tat kommt es bei größerem Verlust der Haut, etwa durch eine Verbrennung, zu akuter Lebensgefahr. Bei jeder Berührung, und wieviel mehr, wenn man sich körperlich nahekommt, werden Empfindungen mitgeteilt. Ohne es kontrollieren zu können, teilen wir Annahme und Ablehnung mit. Hier können wir unserem Mann die Möglichkeit geben, heilzuwerden von den Wunden, die das Leben ihm beibringt – oder ihm durch unsere Ablehnung zeigen, daß er ein Versager ist. Wir haben es in der Hand, uns innerlich zu öffnen, ohne ihn dafür büßen zu lassen, daß er uns nicht die Zuneigung entgegenbrachte, die wir uns gewünscht hatten – und das heißt, ihn anzunehmen, wie Christus mich angenommen hat (Römer 15,7). Wir dürfen lernen, über alles mit unserem Ehepartner zu sprechen. Denn Sexualität ist nichts Unheiliges. Gott hat uns in dieser Weise geschaffen, und deshalb brauchen wir uns nicht zu schämen.

Es ist gut, zu äußern, was uns Freude bereitet oder was einem weniger gefällt. Und ebenso wichtig ist es, zu fragen, wie man den anderen beglücken kann.

So viel wird über Orgasmus gesprochen. Und doch wird für die Frau die erogenste Zone immer ihr Herz sein. Eine Frau, die sich durch ihren Mann geliebt weiß, wird eine erfüllte Frau sein.

Es ist dennoch gut zu wissen, daß der Mann die Erregbarkeit völlig anders erlebt als die Frau. Er kann sehr schnell erregt sein und sich auch sehr schnell durch eine Ejakulation entspannen. Danach fühlt er sich oft müde und erschöpft. Während beim Mann die Kurve relativ schnell ansteigen kann, um danach unmittelbar abzufallen, ist für die Frau die körperliche Begegnung verbunden mit einem zarten Wecken ihrer Gefühle. Eigentlich wäre für sie wichtig, jedesmal neu umworben zu werden, bevor sie sich öffnen kann. Und auch dann ist dieses Wachwerden in ihren Gefühlen ein Prozeß, bei dem sie jedesmal Stück für Stück einen Berg erwandert. Darf sie dann ganz oben die Aussicht genießen, so wirkt dies bis in die Tiefen ihrer Seele fort und klingt lange nach.

Auch hier sind wir also ganz unterschiedlich geschaffen. Wer gelernt hat, in der Sexualität den anderen zu erkennen, wird tief beglückt sein. Dann nimmt der Körper die Sprache der Zärtlichkeit wahr.

Leider erleben wenige Menschen diese von Gott geschenkte Freude in der Ehe. Oft ist es beim Mann ein bloßes Abreagieren, und bei vielen Frauen herrscht Bitterkeit, wenn sie danach ihren schnarchenden Mann neben sich liegen sehen, vor dem sie vielleicht gerade jetzt ansatzweise ihre Seele öffnen wollten, und der sie nun mit diesen angestoßenen Gefühlen alleinläßt.

Diese Bitterkeit äußert sich im Schlafzimmer oft in einer Kühlschrankatmosphäre, die frösteln läßt. Zwischen den Betten scheint eine Rolle unsichtbaren Stacheldrahtes zu liegen.

Gott will uns die Kraft schenken, auch da den ersten Schritt zu gehen. Aber nicht deshalb, weil er uns zerstören will. »Gebt, so wird euch gegeben«, ist ein Wort Jesu aus Lukas 6,38. Ganz praktisch heißt das, daß ich meinen Mann auch annehme, wenn er schnarchend neben mir liegt. Trauen Sie Gott zu, daß Er sein Wort in Ihrem Leben erfüllt!

Öffnen Sie sich, wenn Ihr Mann Ihre Nähe sucht, und bitten Sie Gott, daß Er die Verletzungen Ihrer Vergangenheit heilt und Sie keine Bitterkeit ausstrahlen müssen. *Eine Frau, die lernt, ihren Mann bedingungslos mit der Liebe Gottes anzunehmen, wird einen liebevollen Mann bekommen.* Kein Mensch hält es auf Dauer aus, geliebt zu werden, ohne etwas zurückzugeben.

Je mehr wir als Frau lernen, auf die Bedürfnisse unseres Mannes einzugehen, um so mehr werden wir mit der Zeit empfangen.

Aber wir sollten nicht unbedingt das geben, was wir selbst empfangen wollen. Wenn wir anfangen, sobald er nach Hause kommt, wie ein Wasserfall auf ihn einzureden, in der Hoffnung, er würde dann dasselbe tun, sind wir auf dem Holzweg. Er wird versuchen, uns loszuwerden, weil er seine Ruhe will. Oder wir wollen ihm zeigen, daß wir uns ihm öffnen wollen, er aber schaut sich gerade die Nachrichten an. Wir reagieren dann vielleicht beleidigt, daß er so etwas Uninteressantes uns vorzieht.

Geben Sie – ohne auf das zu spekulieren, was für Sie dabei herauskommen wird:

Fangen Sie an, sich selbst zu ändern.

Unterbrechen Sie den Alltag. Überraschen Sie ihn z.B. damit, daß auch ohne Anlaß einmal der Tisch festlich gedeckt ist. (Und seien Sie nicht enttäuscht, wenn er nichts dazu sagt.)

Zeigen Sie Ihrem Partner, daß er für Sie ebenso wichtig ist wie liebe Gäste. Hören Sie ihm aufmerksam zu, auch wenn es für Sie ein eher langweiliges Thema ist.

Gehen Sie auf die Wünsche Ihres Mannes ein und spielen Sie z.B. mit ihm Tennis, auch wenn Sie selbst lieber wandern würden.

Laden Sie Ihren Ehepartner zu sich ins Bett ein, z.B. durch einen nett gestalteten Gutschein oder ein Bonbon, dessen Sinn Sie ihm erklären. Lachen Sie mit, falls er zu lachen beginnt, und seien Sie in keinem Fall beleidigt, egal was er dazu meint.

Segnen Sie ihn (natürlich nicht laut). Das sollen wir sogar mit unseren Feinden tun. Segnen ist keine magische Formel, sondern ein Wissen um die Kraft Gottes.

Glauben Sie an die positiven Lösungen Gottes. Hören Sie auf zu nörgeln, und fangen Sie an, dankbar zu werden; legen Sie sich z.B. eine Liste an über die positiven Seiten Ihres Mannes.

Römer 8,28: »Denen, die Gott lieben, müssen alle Dinge zum Besten werden.«

»Ich bin ich!« – Sich selbst annehmen

Was hat das Thema Selbstannahme mit Ehe zu tun?

Es ist eine Tatsache, daß das Annehmen meiner selbst nicht nur Auswirkungen auf mich persönlich hat, sondern auch stark auf die Beziehung zu meinem Partner und darüber hinaus auf jeden Menschen, mit dem ich Umgang habe.

Jeder Mensch verbreitet eine gewisse Atmosphäre um sich. Es gibt Leute, in deren Gegenwart man sich wohl fühlt, und andere, die Spannungen, Unfrieden und Unruhe verbreiten, auch ohne viele Worte. Wie oft hört man:»Ach, der kann sich eben selbst nicht leiden!« Das sagt man so leicht, und es steckt eine tiefe Wahrheit dahinter.

Wir finden in Gottes Wort eine klare Anweisung, ein Gebot, das wir sicherlich alle kennen:»Liebe deinen Nächsten wie dich selbst!« Lebenserfahrene Leute haben erkannt, daß eine direkte Abhängigkeit besteht zwischen meiner Fähigkeit, andere gelten zu lassen und so anzunehmen, wie sie sind, und der Fähigkeit, mich selbst anzunehmen. Menschen, die sich selbst nicht annehmen können, die sich selbst verurteilen oder verachten, können andere nicht lieben.

Die Bibel ist also ganz aktuell mit dem Gebot: Liebe deinen Nächsten wie dich selbst. Hören wir nochmals genau hin! Es heißt: »... lieben wie dich selbst«, nicht»statt deiner selbst«! Das ist eine Aufforderung, mich selbst zu lieben. Wir müssen zugeben, daß wir den ersten Teil dieses Gebotes sehr viel besser kennen als den zweiten, vielleicht auch ernster nehmen, weil Selbstliebe, besonders in christlichen Kreisen, einen negativen Klang hat und mit Egoismus und Selbstsucht verwechselt wird. Außerdem kennen wir eine andere Aufforderung Jesu, die einen Gegensatz zum Liebesgebot darzustellen scheint:»Wer mir nachfolgen will, der verleugne sich selbst, nehme sein Kreuz auf sich und folge mir!« Was hier gemeint ist, ist die Fähigkeit, um der Nachfolge Jesu willen von eigenen Wünschen und Bedürfnissen Abstand zu nehmen, sie an die zweite Stelle zu setzen.

Selbstliebe und Selbstsucht schließen einander aus!

Was heißt Selbstsucht?

Das Wort drückt es ganz klar aus: Suche nach sich selbst. Der Selbstsüchtige ist ein Mensch, der sich selbst sucht. Er ist fortwährend damit beschäftigt, seine Wünsche zu befriedigen, und ist doch nie zufrieden. Je mehr er hat, desto mehr will er. Er ist an sein Ich verhaftet. Ichhaftigkeit und Egoismus sind dasselbe. In der Ehe ist er ein Nimmersatt, der nur fordert und haben will. Aber er hat nichts zu geben, weil er nichts hat, nämlich weil er sich selbst nicht gefunden hat. Denn das ist ja der springende Punkt in einer Ehe, das Sich-selbst-Verschenken an das Du. Alle Geschenke, die ich machen kann, sind kein Ersatz für das Geschenk meiner selbst.

Was bedeutet es, sich selbst zu lieben?

Schlicht und einfach: Einverstanden damit zu sein, wie ich bin! Nicht jemand anders sein zu wollen oder zu kopieren, sondern zu einer bewußten Bejahung meiner Persönlichkeit zu kommen. Selbstliebe heißt, zu mir zu stehen, im Einklang, in Harmonie mit mir selbst zu sein. Um Ja zu sagen zu mir selbst, muß ich mich auch kennen. Ich muß den Mut haben, mir selbst einen Spiegel vorzuhalten.

Ich muß meinen Stärken und Schwächen ins Auge sehen können. Was empfinde ich, wenn ich meinen Körper im Spiegel betrachte? Schäme ich mich meiner selbst? Ärgere ich mich über mein Aussehen? Wieviel Make-up brauche ich, um meinen Anblick zu ertragen?

Sage ich ja zu meinem Geschlecht, zu meinem Frau- oder Mannsein? Ja zu meinem Alter, zu meinem Beruf? Ja zu meiner Fruchtbarkeit oder Unfruchtbarkeit? Ja zu meinen Gaben, ohne eingebildet zu werden, und Ja zu meinen Schwächen, ohne deprimiert zu werden? Letztlich: Kann ich *danken* für mich?

Nicht so, wie der Pharisäer im Gleichnis:»Gott, ich danke dir, daß ich nicht so bin, wie die anderen Leute: Betrüger, Ehebrecher...«, sondern wie es in Psalm 139,14 zum Ausdruck kommt:»Ich danke dir, daß ich wunderbar gemacht bin, wunderbar sind deine Werke!«

Wie komme ich zur gesunden Selbstliebe?

Wie kann ich mich annehmen, mich selbst lieben, wenn ich mir selbst nicht liebenswert erscheine und es im Grunde ja auch nicht bin, schon gar nicht, wenn ich mich im Spiegel des Wortes Gottes betrachte? (Römer 3,23 »Alle sind schuldig geworden und haben die Herrlichkeit verscherzt, die Gott ihnen geschenkt hatte«). Wie kann ich mich selbst lieben?

Die Psychologie sagt uns, daß Selbstliebe nicht angeboren ist, daß sie erworben werden muß. Wir wissen auch, daß Menschen, die keine oder ungenügend Liebe und Geborgenheit erfahren haben, es viel schwerer haben, sich anzunehmen.

Wir können darüber viel Gutes und Aufschlußreiches lesen, aber es gibt nur eine Möglichkeit, um zur Lösung dieses Problems zu kommen: Indem ich mein *Ich* in Beziehung zu dem ewigen *Du* bringe! Ich finde mich selbst, indem ich mich von dem finden lasse, der mich gemacht hat, und lerne, mich anzunehmen und zu lieben, indem ich mich von Christus annehmen und lieben lasse.

Dafür hat Gott selbst die Voraussetzung gegeben. In seinem Sohn Jesus Christus kam seine Liebe zu uns. Wer *ihn* annimmt durch eine bewußte Entscheidung, der ist von Gott angenommen. Dann kann er auch Ja sagen zu sich selbst, er kann auch zu seinen Schwächen und Fehlern stehen und muß sich nicht mehr verachten, denn er weiß, wo er Vergebung findet.

Wie aber hat Christus mich angenommen? So, wie ich bin, mit allen guten und schlechten Seiten. Doch Jesu Liebe ist eine verändernde Liebe. Wer ihm gehört, bleibt nicht derselbe. Da ist mir das Wort aus Johannes 1,12 ganz neu aufgegangen: »Wie viele ihn aber aufnahmen, denen gab er Macht, Gottes Kinder zu werden.« Walter Trobisch umschreibt diesen Vers in seinem Büchlein »Liebe dich selbst« folgendermaßen: »Wer Christus aufnimmt, wer langsam lernt, ihm immer mehr sein Leben zu überlassen, sich von ihm lieben zu lassen, der erhält Macht, geschenkte Kraft, an sich zu arbeiten, um ein Kind Gottes zu werden, um in das Bild hineinzuwachsen, das Gott mit ihm gemeint hat.«

Ich bin von Gott angenommen, aber zugleich hineingenommen in einen Wachstumsprozeß. So kann ich auch zu meinem Partner nicht sagen: »So bin ich eben, und so bleibe ich – Punkt!« Paulus sagt uns in Römer 15,7: »Nehmt einander an, wie Christus euch angenommen hat.« Das ist ein tiefes Wort, an dem wir unser ganzes Leben lang lernen können.

Liebe dich selbst
Selbstannahme ist nicht ein einmaliger Akt, sondern ist immer wieder nötig. Selbstannahme umfaßt nicht nur meine Persönlichkeit, sondern mein ganzes Sein, meine Situation, in der ich mich

befinde, alles, was zu meinem Leben gehört. Und das ist ja ständigen Veränderungen ausgesetzt. Am einschneidendsten ist oft die Erfahrung des Partnerverlustes. Es ist ein harter Kampf, Ja zu sagen zum Alleinsein. Dies ist letzten Endes nur möglich aus der Geborgenheit heraus, die man in Christus findet.

Miteinander reden –
Das Gespräch in der Ehe

Als meine Frau Donna und die Kinder zum ersten Mal in unserem kleinen Garten anfingen umzugraben, hörte ich öfters Schreie wie »Iiih! Guck mal! Ein ekliger Wurm – nur weg damit!« Als »Städter« brauchten wir einige Zeit, um festzustellen, daß Regenwürmer gut für den Boden sind. Sie lockern die Erde auf, so daß die Wurzeln der wachsenden Pflanzen sich ungehindert ausbreiten können.

Dasselbe trifft auf die Ehe zu. Wenn Mann und Frau sich von Herz zu Herz verständigen wollen, entdecken sie plötzlich, daß sie einige Dosen Würmer geöffnet haben. Die kleinen, sich ringelnden Viecher kommen ans Licht gekrochen, und die unmittelbare Reaktion ist ein lauter Ausruf des Ekels.

»Pfui!« rufen beide Partner aus. »Vielleicht sollten wir miteinander doch nicht so offenherzig sein.« Danach schieben sie die Würmer wieder in die Dosen zurück, versiegeln diese wieder und geloben, den Rest ihres Ehelebens wachsam zu sein. Lieber eine bequeme Beziehung, die nicht tief geht, als das Risiko zu wagen, offen miteinander umzugehen.

Solche Ehepaare leben in »gesicherten« Verhältnissen. Die Partner haben gelernt, wahre Gefühle zu unterdrücken, anstatt den anderen auch mit Negativem zu konfrontieren. Sie müssen sich immer unter Kontrolle haben; nie dürfen sie ihre tiefsten Reaktionen zeigen. Wenn ihnen beim Partner etwas zu schaffen macht, tun sie so, als bemerkten sie es nicht. Sie haben sich dazu erzogen, emotional unbeteiligt zu bleiben.

Nach Jahren der Übung geht es bei dem Ehepaar in »gesicherten Verhältnissen« friedlich zu. Sie streiten sich selten. Wenn der eine oder andere mal wegen der beständigen Unterdrückung der Gefühle depressiv wird... nun ja, das ist allemal besser, als die häßlichen Würmer ansehen zu müssen, die bei gegenseitiger Offenheit erscheinen könnten.

Ja, sie haben eine ruhige und risikolose Ehe. Bestimmte Bereiche bleiben stets ausgeklammert.

Die Alternative zu den »gesicherten Verhältnissen« ist eine »Kommunikation ohne Schranken«.

Viele Ehepaare würden gern die Kommunikation ohne Schranken erfahren. Das ist jedoch schwierig, wenn sich über die Jahre schlechte Angewohnheiten eingestellt haben. Eine Ehefrau fühlt sich etwa berufen, den Mann mit beständigen Ermahnungen auf Trab zu halten. Wagt er es dann, ein Versagen zuzugeben, kommt sie gleich mit der Erwiderung:»Ja, das hab' ich dir doch schon seit Jahren sagen wollen! Warum hat das denn so lange bei dir gedauert?«

Oder der Mann betrachtet sich selbst als starken, ruhigen Typ, der ein hartes Leben führt.»*Echte* Männer teilen nichts mit von ihren tiefsten Gedanken und Gefühlen«, scheint sein Lebens-. motto zu sein.

Um es Sie gleich wissen zu lassen, ich bin der Redner in unserer Ehe. Nicht, daß ich es verstehe, Gefühle zu äußern, aber ich bin gewöhnlich der mit dem vorlauten Mundwerk. Kürzlich erzählte Donna einigen Freunden von einer Begebenheit, und ich unterbrach sie dreimal. Nach dem dritten Mal fragte sie erbost:»Darf ich bitte einmal einen Satz zu Ende reden?«

Die meisten von uns können nicht richtig kommunizieren. Aber eine gute Kommunikation gehört nun einmal zur Ehe. Denn was soll die Ehe sonst sein, wenn nicht das gegenseitige Sich-Öffnen zweier Menschen füreinander. Ohne diese echte wechselseitige Beziehung ist die Ehe ein Gefängnis, dessen Mauer aus gemeinsamen Nachkommen und weltlichen Besitztümern besteht.

Zu einer guten Ehe gehört es, daß die Partner gewisse Reizwörter vermeiden. Jeder der folgenden Ausdrücke garantiert Ihnen, daß sich bei Ihrem Partner die Nackenhaare sträuben. Sie werden dann statt in eine Konversation in einen Streit verwickelt:

»Immer« (»Du vergißt immer, den Mülleimer rauszustellen!«)
»Nie« (»Du bist nie pünktlich.«)
»Warum kannst du nicht... (»Warum kannst du mir nicht einmal zuhören?«)
»Typisch!« (So etwas Dummes kann man auch nur von dir erwarten.«)
»Laß mich in Ruhe!« (»Das verstehst du ja doch nicht.«)
»Du bist genau wie deine Mutter (dein Vater)!«
»Damals hast du schon...« (Vorwürfe aus der Vergangenheit)

Wenn Sie Ihre Gefühle zum Ausdruck bringen, sollten Sie anklagende »Du«-Botschaften (etwa »Du nervst mich« oder »Du hast keine Ahnung von Hauswirtschaft«) vermeiden. Gebrauchen Sie statt dessen »Ich«-Botschaften: »Ich fühle mich jetzt ziemlich verärgert« oder »Ich bin sauer, wenn ich in eine unaufgeräumte Wohnung zurückkomme.« Es ist nicht verkehrt, Gefühle zu haben. Was verkehrt ist, ist diese zu unterdrücken oder gar zu leugnen.

Das Ziel der Gespräche sollte nicht Wahrheit zum Manipulieren, sondern Wahrheit um der Liebe willen sein. »Lasset uns aber die Wahrheit bekennen in Liebe«, schreibt der Apostel Paulus in Epheser 4,15. Donnas Reaktion auf meinen Fahrstil ist ein Beispiel davon. Ich muß zugeben, daß ich manchmal zu schnell fahre, oft ohne es zu merken. In den ersten Tagen unserer Ehe wurde sie immer nervöser, bis sie schließlich herausplatzte: »Fahr langsamer! Du fährst immer zu schnell! Du bringst uns alle noch um!«

Obschon ich wußte, daß ich im Unrecht war, wollte ich meiner Frau nicht recht geben. Für gewöhnlich verlangsamte ich die Fahrt, grollte ihr aber und fuhr schon bald wieder schneller.

Als Donna die »Ich«-Botschaften anwenden lernte, wurde es besser. Jetzt sagte sie etwa: »Ich fühle mich unsicher, wenn du so schnell fährst. Könntest du bitte langsamer fahren?« Statt mich anzugreifen, äußerte sie ein Bedürfnis, dem ich nur zu gern nachkam. Obgleich ich es manchmal immer noch vergesse, glaube ich, daß mein Fahrstil besser geworden ist, seit sie ihre Taktik geändert hat.

Es ist eine große Hilfe, wenn beide Partner die Gründe für ihre Gefühle analysieren und äußern lernen. Donna zum Beispiel erweitert manchmal ihre Aussage »Ich fühle mich unsicher bei deinem Fahrstil«, indem sie sagt: »Mir liegt sehr viel an dir. Ich bin froh, mit dir verheiratet zu sein. Und es macht mir Angst, zu denken, ich könnte dich – oder eines unserer Kinder – durch einen Unfall verlieren.« Je klarer sie ihren Blickpunkt schildern kann, umso besser begreife ich, daß es sich nicht um einen Angriff auf mich handelt, sondern um eine legitime Befürchtung.

Meine Frau ist eine Meisterin in dieser Kunst intelligenter Erläuterung ihrer Gefühle. Es ist etwas, das sie gelernt hat. Das braucht Übung, aber es ist ein hervorragendes Mittel, Mißverständnisse auszuräumen.

Eine »Ich«-Botschaft eignet sich auch gut zur Vermeidung von Zornesausbrüchen. So können die Partner ihrem Ärger ehrlich Luft machen. »Ich fange an, mich darüber zu ärgern«, sagte meine

Frau, als ich mehrmals hintereinander zu spät zum Abendessen kam. Sie nörgelte und keifte nicht, denn das hätte mich nur wieder in Abwehrstellung gebracht. Sie äußerte einfach ihre Gefühle, und ich verstand sie!

Lernen Sie es zudem, Ihren Partner zu ermutigen, sich offen und ehrlich mitzuteilen. Versuchen Sie es etwa mit folgenden Aufforderungen – und dann schließen Sie Ihren Mund und machen Sie Ihre Ohren weit auf.

1. »Erzähl mir, wie du dich fühlst in bezug auf...« – »Was verursacht diese Gefühle bei dir?«
2. »Was hat dir diese Woche am meisten zu schaffen gemacht?« – »Wie kann ich dir auf diesem Gebiet helfen?«
3. »Weißt du, daß ich dich liebe? Wie kann ich es dir noch deutlicher zeigen?«
4. »Was hat dir in der vergangenen Woche am meisten Freude bereitet?«

Offenheit kann man nicht über Nacht erreichen; Kommunikation zu lernen, ist ein lebenslanger Vorgang. Einige Ehepaare könnten damit anfangen, indem sie eine Not oder ein echtes Gefühl zugeben. Was Ihr Anhaltspunkt auch sein mag: Wenn Sie die folgenden Fragen unter Gebet durchsprechen, werden Sie gewiß eine positive Richtung einschlagen.

Diskutieren Sie anschließend die Fragen vom Standpunkt beider Partner aus:

»Habe ich Kommunikationsschwierigkeiten?«

»Wie fühlst du dich, wenn ich mich so verhalte?«

»Ich würde ja ruhiger und offener mit dir reden, wenn...«

»Schwenke ich manchmal ›rote Tücher‹ mit meinen Worten? Welche?«

»Greife ich dich manchmal mit ›Du‹-Aussagen an, wenn ich über negative Dinge rede, etwa: ›Deine schlampigen Angewohnheiten widern mich an‹? Nenne mir doch ein paar spezifische Beispiele und sage mir, wie du es lieber hören würdest.«

»Es braucht Zeit, einander zum Reden zu ermuntern. Überlege doch einmal mit, wann wir das machen könnten.«

Zum Schluß stehen Bestätigung und Gebet. »Ich danke dir für die Gelegenheiten, bei denen wir uns so gut verstehen und verständigen. Was ich dabei besonders an dir schätze, ist...«

»Herr, wir sind wieder an unsere menschliche Neigung erinnert worden, uns gegenseitig anzugreifen und anzuklagen, wo wir uns doch annehmen und vergeben sollten. Schenke uns das Verlangen, einander zu dienen. Danke, daß Du uns vergibst, weil Jesus am Kreuz dafür gestorben ist. Führe uns in den kommenden Monaten, damit wir erleben, wie unsere Ehe durch Dich sichtbar gesegnet wird.«

Untreue

Untreue liegt dann vor, wenn man etwas Versprochenes nicht einhält, bzw. wenn man eine Zusage bricht. Wer untreu ist, ist zugleich treulos; denn er hat sich losgelöst von Treu und Glauben. Dies führt dazu, daß er das Gegenteil von dem tut, wozu er sich aus freien Stücken verpflichtet hat. Eine bestehende Beziehung wird durch Untreue beeinträchtigt. Die Basis der Verläßlichkeit wird zerstört; weiteres Vertrauen wird nur noch eingeschränkt und unter Vorbehalt gewährt. Begründetes Mißtrauen tritt an die Stelle des Vertrauens. Die Folge: man öffnet sich nicht mehr ganz füreinander; man beobachtet oder bespitzelt einander, weil man dem anderen nicht mehr glaubt.

Das Ausmaß der Untreue kann sehr unterschiedlich sein. Die »geringste« Untreue ist die der gedanklichen Abweichung, während die größte Untreue im völligen Zerstören und Verlassen der Beziehung besteht. Die totale Zerstörung einer Beziehung kommt nicht als unvorhersehbare Katastrophe, quasi als ein unabänderliches Schicksal. Vielmehr geht ihr eine lange Entwicklung voraus, während der man immer mehr zugelassen hat, daß andere Menschen, andere Mächte, andere Ideen in eine Ehe Eingang fanden und so das vorhandene Fundament Zug um Zug zerstörten.

Dies findet sich auch in der Aussage Jesu: »Aus dem Herzen kommen böse Gedanken und mit ihnen Mord, Ehebruch, Unzucht, Diebstahl, Verleumdungen und Beleidigungen« (Matthäus 15,19). Jesus hat Gottes Regeln und Gebote dahingehend verdeutlicht, daß nicht erst die versuchte oder begangene Tat strafbar ist, sondern daß schon der ihr vorauslaufende Gedanke verwerflich, d.h. sündig, ist. So ist es nach Jesu Worten also durchaus möglich, ein »Ehebrecher« bzw. eine »Ehebrecherin« zu sein, obwohl man sich konkret nie jemand anderem genähert hat (Matthäus 5,28); das Zulassen und Pflegen der Gedankensünden reicht schon aus.

Es geht mithin darum, sich zu hüten vor Eindrücken und Einflüssen, die für unser Inneres wie auch für unser Verhältnis zu Gott und Mitmensch schädlich sein können. Mir ist allerdings wohl bekannt, welch schwere Kämpfe jemand durchzustehen hat, wenn er in seinem Inneren rein bleiben will. Die sexualisierte Welt, in der wir leben, macht es hier den Menschen schwerer als je zuvor. Die Anfechtungen und Fallen sind häufig und schwer. Für den Christen ergibt sich als Bewältigungsmöglichkeit, immer näher zu Jesus zu rücken, um mit dessen Kraft den Versucher in die Flucht zu schlagen. Hier sind zwei Schriftstellen besonders eindrücklich: a) »Ein jeder sei gesinnt, wie Jesus Christus auch war« (Philipper 2,5); d.h. wenn der Geist Gottes die Gesinnung Jesu in uns wachsen läßt, können wir immer besser Versuchungen überwinden.

b) »Widersteht dem Teufel, dann flieht er von euch; naht euch zu Gott, dann naht er sich zu euch« (Jakobus 4,7 u. 8). Hier sind wir zu aktivem Vorgehen aufgefordert: 1) dem Teufel Widerstand zu leisten – er wird fliehen! Wenn der Teufel Gotteskinder sich auf die Verheißungen der Schrift berufen sieht, nimmt er Reißaus! 2) uns ganz nahe bei Gott zu halten, und wir werden erleben, daß Gott schon unterwegs ist zu unserer Hilfe.

Untreue nährt sich vom Reiz des Verbotenen. Die Treulosen gleichen hierin Kindern, für die es reizvoll ist, ein Verbot zu übertreten. Bei einem Kind mag dies im Rahmen der Entwicklungspsychologie verstanden werden können. Einem Erwachsenen, dem man Reife attestieren möchte, steht es aber äußerst schlecht an, sich so zu verhalten.

Es nimmt nicht wunder, daß die Untreue mit einer Bindungsunfähigkeit korreliert. Die ihr zugrunde liegende mangelnde Reife mag in manchen Fällen den Eltern und Erziehern anzulasten sein. Dennoch enthebt die Erkenntnis elterlichen Versagens das Individuum nicht davon, sich um Weiterentwicklung zu bemühen. Dies mag im Rahmen einer Psychotherapie oder einer Seelsorge geschehen. Die die Persönlichkeit beeinträchtigende Integrationslücke muß geschlossen werden, damit der Mensch bindungsfähiger wird.

Die Fähigkeit, warten und verzichten zu können, muß früh in der Kindheit geübt werden. Nur so formt sich ein Charakter, der den Stürmen des Lebens und den Lockungen der Versuchung standhalten kann und der seinem Gott und seinem Ehepartner die Treue halten wird.

Kinder, die antiautoritär erzogen werden, sind hierzu nicht in der Lage. Eine Erziehung, die die erforderliche Liebe mit pädagogischer Würze und Konsequenz verbindet, wird den Bedürfnissen des jungen Menschen am ehesten gerecht. Zu diesen Bedürfnissen gehört, geformt und geprägt zu werden durch Richtlinien, die Erfahrene zum künftigen Wohl des jungen Menschen erlebt haben. Der antiautoritär Erzogene mag partnerschaftsunfähig als auch unfähig zum Glauben sein. Wer Unverbindlichkeit, Richtungslosigkeit und Egoismus von Kindheit an lernt, wird sich als junger Mensch und als Erwachsener weniger einordnen können, weil er die Erfüllung egozentrischer Wünsche zur höchsten Maxime macht.

Versuchungen zur Untreue sind nicht immer gleich stark vorhanden, und sie stellen nicht notwendigerweise einen Bestandteil des Charakters dar. Auch den Sichersten treffen sie einmal – oft zu unvermuteter Stunde und bei unerwarteter Gelegenheit.

Der Reiz zur Untreue liegt in der Suggestion, etwas Einmaliges, Herausragendes, elementar Wichtiges zu versäumen, falls die sich bietende Gelegenheit nicht genutzt wird.

Untreue behält selten ihren Reiz, wenn sie erst einmal praktiziert wird. Sie nutzt sich genauso ab wie jede andere Beziehung und dürstet nach mehr, nach Veränderung. Ist der Rausch erst einmal vergangen, der mit der ersten Übertretung einhergeht, so kommt es häufig zu einer »Katerstimmung«. Manch einer erkennt die Verwerflichkeit seines Tuns und kehrt um, d.h. er tut Buße und erneuert seine alte Beziehung. Manch anderer versucht aber, das mittlerweile vertraute Gefühls- und Reizniveau zu halten oder gar noch zu steigern.

Schon der einmalige Seitensprung oder der Gang zur Prostituierten stellen einen Bruch der ehelichen Treue dar.

Der Niedergang der Treue hat zu einem sprunghaften Anstieg der Fälle geführt, in denen man eine feste intime Beziehung zu einem weiteren Menschen pflegt. Abgesehen von den homosexuellen und lesbischen Beziehungen verheirateter Bisexueller entspricht dies alten Vorstellungen im Sinne der Polygynie (Vielweiberei) und Polyandrie (Vielmännerei). Manch ein Verheirateter wird sitzengelassen, weil der Ehepartner zu der (dem) Geliebten zieht und der inneren Trennung auch die äußere folgen läßt.

Die am weitesten fortgeschrittene Dekadenz läßt sich dort feststellen, wo man überhaupt keine Anstalten macht, sich an irgend jemanden zu binden, sondern einzig und allein darauf bedacht ist, ständig Neues zu erleben. Der Partner ist völlig austauschbar. Er wird daran gemessen, was er sexuell leistet.

In früheren Zeiten wurde Untreue als »Privileg« derjenigen angesehen, denen man einen verantwortungsbewußten Umgang mit ihrem »Trieb« nicht so recht zutraute. Die Frauen wurden damals eher als die Häuslichen, Harmlosen, Unschuldigen betrachtet, die nichtsahnend einem Verführer anheimfallen. Diese Einschätzung hat nie der Realität entsprochen. So ist es nur folgerichtig, daß man sie revidierte. Ein vergleichbares Maß an Verführbarkeit und Verführungsabsicht ist auf beiden Seiten vorhanden.

Die »Sexuelle Revolution« und die Emanzipationsbewegung haben dazu geführt, daß Frauen sich nicht nur beruflich viel stärker profilierten, sondern diese schärften auch die alten »weiblichen Waffen« neu. Eine Befreiung von bürgerlichen Verklemmungen – hin zur Entfaltung wahren Frauseins – war versprochen worden. Dies trat in vielen Fällen jedoch nicht ein, da die Emanzipationsbewegung eine Eigendynamik entwickelte, die nun immer weniger die Ziele der Frau vor Augen hatte, sondern mehr und mehr darauf abhob, den Mann lächerlich zu machen. So kam es statt zur Befreiung der Frau zu ihrer neuen Versklavung, denn sie war dazu verpflichtet worden, dem Mann auf allen nur denkbaren Gebieten Konkurrenz zu machen und ihn sogar nach Möglichkeit zu übertrumpfen.

Wenn Männer schwach werden

Christen sind keine Helden und gläubige Ehepaare keine Heiligen. Zwar haben sie eine entscheidend wichtige Glaubensgrundlage, aber vor Krisen der Ehe sind sie nicht sicher. Im »mittleren Alter« kann es eine Lebensphase geben, die beiden zu schaffen macht und meist auch bei beiden Wunden reißt. Man sollte offen darüber sprechen. Der Glaube allein bewahrt nicht vor einem solchen Konflikt. Jeden kann es treffen. Eine Entfremdung hat mancherlei Ursachen, niemals fällt sie jedoch vom Himmel. Nicht selten wurde die Liebe zueinander »bedeutungsloser«, und die außereheliche Beziehung gewann an Reiz. Auch König David, ein Mann Gottes, verlor die Kontrolle über sein Gefühlsleben und war bereit zur Untreue bis hin zum Mord. Ein gefährliches Spiel mit bösem Ausgang.

Auftretende Spannungen können tiefgehend sein, sind aber mit gutem Willen lösbar, notfalls mit einem beratenden Dritten. Eifersucht dagegen ist kein geeignetes Mittel, da sie nicht Liebe, sondern meist Selbstliebe, ein Zeichen verletzter Eitelkeit ist. Sie entfremdet noch mehr und entwertet nachhaltig den Betroffenen. Bei einer Verfehlung wird die Nachsicht und Größe des anderen gefragt sein, der verzeiht. Anspruch auf Eheglück hat niemand, aber Vergebung erneuert und fundiert die Ehe. Hier liegt eine »notwendende« Aufgabe der Seelsorge in unseren Gemeinden und Gemeinschaften.

Eine gewisse Einseitigkeit sei zugestanden: Ich schreibe als Mann über den Mann, doch die heutige Frau scheint sich weitgehend »emanzipiert« zu verhalten und vermag in ähnlicher Weise die Treue in der Ehe zu brechen.

In der beratenden Seelsorge zeigt sich immer häufiger, daß die mittleren Jahre einer Ehe krisenhaft werden können. Da entgleist bei Männern etwas, nachdem sie bisher gut in das vierte und fünfte, ja sogar sechste Jahrzehnt hineingewachsen sind. Meist ohne vorherige Warnzeichen geraten sie in Konflikte, in denen sie wie verwandelt erscheinen. Die nachlassende Triebkraft hat im Rahmen der ehelichen Gemeinschaft Teilnahmslosigkeit erzeugt. Eine gewisse Bestürzung mag unbewußt entstanden sein, die den Mann in ein jungenhaftes Gehabe zurückfallen läßt. Er ist verliebt in eine junge Blondine. Dabei ist ganz und gar nicht gesagt, daß die oft langjährige Ehe unbefriedigt gewesen sein muß. Gar zu schnell ist man dennoch überzeugt, daß man an der Liebe vorbeigelebt hat; der jetzige Zustand der Ehe sei das Erlebnis einer falschen Partnerwahl. Nicht nur einer versicherte mir:»Erst jetzt weiß ich, was wirkliche Liebe ist!«

In dieser Phase setzen Männer alles aufs Spiel: ihren Beruf, ihren Namen, ihre Kinder, ihre Ehe. Sie sind unzugänglich für jede andere Meinung, unfähig zur Einsicht und kennen keine Selbstkritik. Eine vernünftige Entscheidung ist nicht zu erwarten. Wer von dieser Leidenschaft befallen wurde, für den gibt es keine Argumente, die ihn zur Besinnung bringen. Alle liebevollen Bemühungen scheitern. Der Mensch ist in dieser Lage so verschlossen wie ein psychisch Kranker, den man von seinen fixen Ideen befreien will.

Die Meinung, man könne im Leben etwas versäumt haben, nimmt mit den Jahren zu.»Vielleicht schaffe ich es, das Leben jetzt auszukosten!« spricht der ältere Mann, und schon ist er fasziniert von einer attraktiven anderen Frau. Es blüht ein spätes Glück; kein Einsatz dafür erscheint zu hoch. Angesichts dieser Möglichkeit verblaßt das Bild der eigenen Frau, mit der er über Jahrzehnte hinweg glücklich war. Die Wunschvorstellung einer Traumwelt verändert seinen Charakter und macht alles unklar und hintergründig.

Mit zunehmendem Alter werden die sexuellen Wünsche weniger und die intimen Begegnungen seltener. Das muß kein Nachteil sein, wenn dadurch mehr Ausgeglichenheit in die Ehe einziehen kann. Es ist ein Zur-Ruhe-Kommen, wenn die Partner vielleicht in den Anfangsjahren in ihrer individuellen Wesensart, aber nicht in ihrem sexuellen Verlangen übereinstimmten. Es kann eine Erleichterung sein, wenn der sexuelle Heißhunger auf biologische Weise abgebaut wird und Mann und Frau weniger unter dem Diktat des Triebdrucks stehen. Für den Mann wird das nur dann zu einer bedrückenden Feststellung, wenn er seine sexuelle Potenz überschätzt. Die Wirkung männlicher Potenz ist sehr begrenzt und hat mit dem eigentlichen Selbstbewußtsein eines Mannes im Grunde nichts zu tun.

Aber gerade an diesem Punkt ist die Einsicht des Mannes oft blockiert, blind und töricht. Er starrt verblendet auf ein Scheinproblem und möchte sich künstlich verjüngen, um noch nicht Ausgekostetes möglichst in vollen Zügen nachzuholen. Seine oft überschwengliche Vernarrtheit wird dabei von der jungen Partnerin meist gar nicht erwidert. Geht sie aber darauf ein, dann kann das durchaus materielle Gründe haben. In manchen Fällen wird es aber auch eine Art Sehnsucht nach der Vatergestalt sein, gerade dann, wenn die junge Frau den Vater nie oder nur ungenügend erlebte. Es muß aber nicht immer um so stark auseinanderfallende Jahrgänge gehen; manchmal ist der Altersunterschied bei solchen Verbindungen gering, oder beide Partner sind sogar fast gleichaltrig.

Wichtiger ist die Frage, warum diese späte Leidenschaft beim alternden Mann entsteht, ohne daß er sich seine biologischen Grenzen eingestehen will. Ist es vielleicht so, daß er damit die Besinnung auf den Tod verdrängt? Von der Schöpfung her ist es jedem Menschen aufgetragen, sein Alter zu bejahen. Altern ist letztlich keine Katastrophe. Zu welchen Folgen führt den alternden Mann aber das Erlebnis des »zweiten Frühlings«? Wahrscheinlich leidet dabei sein Selbstwertgefühl. Seiner Ehefrau gegenüber wird er schweigsam und mißlaunig, da er mit seinen Gedanken woanders weilt. Früher oder später wird es ihm aber kaum erspart bleiben, zu erkennen, daß er nicht in der Lage war, der jungen Frau ein gleichwertiger Partner zu sein. Diese Desillusionierung ist schmerzlich für ihn. Darüber hinaus wird der häusliche Frieden schwinden. Ein solcher Bruch heilt nur schwer, weil die Grundlage des Vertrauens verlorenging. So steht der alternde Mann eines Tages vor den Scherben seiner Liebesträume und oft vor den Trümmern seiner Ehe. Seine Utopien sind verflogen, die Realität hat ihn eingeholt.

Es gibt aber auch das andere, daß Männer bis ins hohe Alter von einer rätselhaften Unruhe umhergetrieben werden, immer wieder begeistert und entflammt von weiblichen Reizen. Das Triebgeschehen löst in ihnen ein Begehren aus, das stärker sein kann als in jüngeren Jahren.

Die am stärksten Betroffene ist meist die Ehefrau. Sie ist die Betrogene, die nahezu übermenschlicher Kräfte bedarf, um diese Zeit seelisch durchzustehen, in der sie von ihrem Mann täglich belogen und hintergangen wird. Je tiefer die gefühlsmäßige Bindung bei einer außerehelichen Beziehung ist, desto höher ist auch der Preis, den der nichtsahnende Partner zu zahlen hat. Denn eine Geliebte kostet den Ehemann nicht nur Zeit und Geld, sondern auch körperliche und seelische Kraft. Was er ihr schenkt, entzieht er letztlich seiner Frau.

Vielleicht lebt er in dem Wahn, daß seine Frau den Verlust nicht merkt. Aber das ist höchst unwahrscheinlich. Eine Ehefrau braucht nicht viel Intuition, um Verdacht zu schöpfen. Jeder berechtigte Verdacht jedoch wird eine Frau unglücklich machen. Darüber hinaus fürchtet sie den Spott der Nachbarn und Kollegen. Wenn ihr Mann sie wegen einer mehr oder weniger ernsthaften Affäre fallenläßt, wird sie in ihrem Innersten zutiefst verletzt.

Eigenartigerweise findet man nicht selten bei sozusagen »hervorragenden Ehen« das Phänomen, daß diese ganz plötzlich auseinandergehen. Der Mann oder die Frau, vielleicht auch beide, brachten lange Zeit nicht den Mut auf, darüber zu sprechen, daß es in ihrer Ehe nicht stimmte. Vielleicht fürchteten sie die Reaktion des anderen, vielleicht war es ihnen peinlich, über Intimes zu reden, oder sie schämten sich, ihr Bedürfnis nach Hilfe und Liebe zu zeigen. Niemand fand die Gelegenheit, sein Unglück auszusprechen, seine Enttäuschung beim Namen zu nennen und sein Unerfülltsein zuzugeben. Manchmal hat der eine keine Ahnung, wie es beim anderen aussieht.

Statt auf ehrliche Gesprächsbereitschaft zu drängen, ganz gleich wie diese ausgeht, nehmen beide die Verschleierung des Treuebruchs hin, der eine aktiv, der andere passiv. Der Gedanke an eine Trennung ist ihnen unerträglich. Dieses Verhalten ist für alle Betroffenen verhängnisvoll, oft tragisch. Meistens will dann der Untreue in der Regel die Scheidung. Der andere bleibt zurück mit dem Gefühl der Hilflosigkeit und der Erfahrung, getäuscht worden zu sein und sich gründlich getäuscht zu haben. Es bleiben Gewissensbisse und das Gefühl, weggeworfen zu sein. Man wurde erniedrigt.

Im übrigen trifft das die »Geliebte« ähnlich: Wurde sie vielleicht nur mißbraucht? War sie Notlösung oder Lückenbüßerin? Bleibt sie schließlich ebenso beschämt und erniedrigt zurück?

Und wie erlebt es die eigentliche Familie? Wie sehen es die Kinder? Unter Umständen ergeben sich harte wirtschaftliche Konsequenzen. Längere Zeit wird der Ehefrau der quälende Gedanke nachgehen, ob sie nicht Entscheidendes falsch gemacht hat. Auch sie ist gewissensmäßig unruhig. Nicht selten war sie beteiligt an der Reduktion der geistig-seelischen Bindungen in der Ehe. Sie fühlt sich mitschuldig. Wie aktiv oder passiv sie an dem Scheitern der Gemeinschaft gewesen sein mag, fast immer gilt, daß beide betroffen waren und sich das Elend in die Hände spielten. Manchmal hat die Frau sich zu sehr auf die Kinder ausgerichtet, sie vielleicht gar zu Verbündeten gegen ihren Mann gemacht.

Vieles hängt damit zusammen, daß die Eheleute sich im Laufe der Zeit auseinanderlebten. Die Frau war mitunter gleichgültig und eintönig geworden, unaufmerksam in Kleidung und Aufmachung, uninteressiert auf geistiger Ebene. Einfallslosigkeit im körperlichen Bereich kann ein Anfang des Sterbens einer Ehe sein.

Wir alle wollen Freude und meiden den Schmerz. Selbstbetrug ist ein Versuch, sich vor Unannehmlichkeiten zu schützen. Daher ist es fast natürlich, daß man die Wahrheit über sich selbst meiden möchte. Die Lüge voreinander verhindert zwar Wutausbrüche und erspart herbe Zurückweisung, schafft aber Distanz und Verletzungen. Unbehagen und Entfremdung steigern sich spürbar. Das offene Wort erstirbt. Man muß seine Gedanken kontrollieren. Man schwebt in ständiger Angst, sich zu verraten. Das fordert einen hohen Preis.

Solange der Untreue aber noch Schmerz empfindet, ist ein Weg des Ausgleichs offen. Freilich ist nicht zu übersehen, daß dieses Ausufern hochgespielter Leidenschaft auch ein zeittypisches Problem ist. Massenmedien suggerieren, daß erst das ungehemmte Ausleben den wirklichen Wert des Lebens erbringt. Das führt zu einer Überbewertung der sexuellen Gegebenheiten und zur gesellschaftlichen Legalisierung außerehelicher Beziehungen. Manches Ehepaar zieht es daher unwiderstehlich in das Risiko eines unverantwortlichen Abenteuers mit anderen Partnern. Was das Fernsehen uns täglich vor Augen führt, das zu tun wird dem Normalbürger eingeredet. So werden heikle Liebesabenteuer gesellschaftsfähig.

Welche Hilfen gibt es? Um die seelische Integrität wieder zu erlangen, muß man sich Schuld eingestehen. Durch Vergebung wird man zur Einheit des Lebens zurückfinden. Der Mensch ist ein unteilbares Ganzes. Leib, Seele und Geist bedürfen der Wahrheit und der Versöhnung mit Gott und den Menschen. Es gibt niemanden auf dieser Erde, der nicht der Liebe, der Treue und der Vergebung bedürfte.

Ich sehe nur einen Weg. Er setzt die übermäßige seelische Kraft der Ehefrau voraus, auch die Einsicht der beteiligten Familie, allen bisherigen Enttäuschungen und Kränkungen kraftvoll zu widerstehen; es gibt nur das Durchhalten in der Ehe und das Festhalten an der Familie. Liebe und Treue mögen sinnlos erscheinen, aber sie sind es nicht. Die Vergebung Jesu Christi kann Neues bewirken und Altes beenden. Die eigene Kraft reicht allerdings nicht aus; Gott muß dabeisein.

Wenn dann schließlich die Ehekrise vorüber ist und die Wogen sich legen konnten, dann gilt es zu vergessen und nicht nachzutragen. Aus tiefer Einsicht muß Vergebungsbereitschaft vorhanden sein. Wer dürfte schon den ersten Stein werfen? Moralisches Verurteilen hilft niemandem. Jede Krise hat ihre Chance. Schuld und Versagen können positiv gewendet werden. Dann wird nach vielen Konflikten eine vertiefte neue Lebensgemeinschaft entstehen, die von der Vergebung getragen wird.

Vergeben lernen

Karl und Ruth hatten ein normales Streitgespräch. Ein Beobachter hätte es für einen richtigen Streit gehalten, aber Karl würde es nicht so nennen. Leitende christliche Erzieher und ihre Ehefrauen streiten sich doch nicht richtig.

Der Höhepunkt in dem Streitgespräch war erreicht, als Karl sagte:»Was werden denn die Leute denken?«

Ruth explodierte:»Was werden die *Leute* denken? Ich werde es Dir sagen! Ich gehöre auch zu den Leuten – das scheint Dir entgangen zu sein! Ich werde Dir also sagen, was ich denke: ich denke, daß Du ein ganz mieser Typ bist! Du hörst mir gar nicht richtig zu. Du fragst mich nicht um Rat. Schau Dich nur jetzt mal an. Du bist schon auf dem Sprung, mir ins Wort zu fallen und mir zu sagen, daß ich unrecht habe und Du natürlich, wie immer, recht hast. Ich habe die Nase voll davon. Es reicht mir, von Dir immer nur als Magd behandelt zu werden. Ich habe es satt, von Dir gesagt zu bekommen, daß ich den Mund halten und mich um nichts kümmern soll. Ich habe genug von Dir, Herr christlicher Erzieher. Wenn Du reden willst, dann rede doch mit einem leeren Zimmer!«

Ruth rannte ins Schlafzimmer und knallte die Tür hinter sich zu. Karl ließ sich in den Sessel fallen und dachte über seine Unzufriedenheit und seinen Groll nach. Nachdem er jede Einzelheit des Streits genau durchdacht hatte, kam er zu dem Schluß, daß alles *ihre* Schuld war. Er konnte sich genau daran erinnern, wie er ihr ausdrücklich gesagt hatte, diesen Scheck in ihr Scheckbuch einzutragen.

Die Phase des Sich-in-Schweigen-Hüllen und einsamen Leidens war von durchschnittlicher Dauer – zweieinhalb Stunden. Sie wurde beendet, als ein Nachbar vorbeikam, um sich ein Ei zu borgen.

Die »Diskussion« am Mittwoch war kurz:»Du bist zu ruhig!« sagte Karl.

»Und Du bist zu laut!«

»Daran kann ich was ändern.« Und er fing an, einen neuen Rekord in der »Schweige-Behandlung« aufzustellen.

Am Donnerstag verlief es anders. Die Kinder waren früh im

Bett, und Karl und Ruth gingen eine Kleinigkeit essen. Ruth blickte Karl mit diesem müden Ausdruck in den Augen an, den jemand hat, dem es schon fast egal ist, was noch passiert. »Karl, wenn ich an die sechs Jahre unserer Ehe zurückdenke, sehe ich eine lange, staubige Straße. Auf dieser Straße sind wir gelaufen, und alles, was wir gesehen haben, war Staub. Wir wissen noch nicht einmal, was uns am Weg begegnet ist. Das kann unmöglich der Weg sein, den wir weiter verfolgen wollen. Etwas Besseres muß doch für uns möglich sein.«

Karl stellte langsam das Geschirr beiseite und legte seinen Kopf auf seine Arme auf dem Tisch. »Du hast recht«, sagte er mit leiser Stimme. Es entstand wieder ein langes Schweigen. Beide waren in Gedanken versunken. Karl stand langsam auf und berührte Ruths Arm.

»Du hast recht, Ruth. Wir haben uns immer wieder über Kleinigkeiten gestritten. Wir haben uns mit anderen verglichen, die uns vollkommen zu sein schienen. Auf diese Weise haben wir in dem anderen nur das Unvollkommene und das Versagen gesehen. Schließlich sehen wir nur noch den Staub auf der Straße und gar nicht mehr das Ziel, das vor uns liegt. Ich möchte damit aufhören, Dich mit anderen zu vergleichen. Statt dessen möchte ich jetzt versuchen, mich an dem einen zu messen, der vollkommen ist – Christus –, und mich darum bemühen, Ihm ähnlicher zu werden. Laß und sofort damit beginnen.«

Das taten sie dann auch. Es erforderte natürlich viel Zeit und Disziplin. Karl fand einiges, was ihnen dabei half. Das Hilfreichste war, miteinander zu beten, insbesondere für ihre Ehe.

Nach einer gewissen Zeit entdeckten sie, was den Konflikt zwischen ihnen verursacht hatte. Sie waren mit unrealistischen Erwartungen in die Ehe gegangen in bezug auf das, was die Ehe ihnen bringen sollte. Sie verglichen sich außerdem ständig mit anderen Ehepaaren. Da sie jedoch nur sehr begrenzte Informationen über diese Paare hatten, waren diese Vergleiche völlig unrealistisch. Trotzdem erlebten sie viel Neid und Unzufriedenheit, was zu noch höheren Erwartungen an den Partner führte, zu Streitigkeiten, Vergeltungsschlägen und Bitterkeit.

Sie entdeckten, daß sich viele Dinge verändern, wenn Gott in den Alltag der Ehe mit hineingenommen wird, Sie konnten sich jetzt voreinander entschuldigen und einander vergeben. Nachdem der Schmerz über vergangene Fehler abgeebbt war, gab es immer mehr Anlaß, einander in Liebe und Fürsorge zu begegnen. Als sie aufhörten, einander immer neue Wunden zuzufügen, wuchs auch ihr Vertrauen zueinander, und damit kam auch wieder die Freiheit, verwundbar und spontan zu sein.

Sie lernten sich ganz neu kennen. Sie begegneten sich jetzt wirklich. Sie lernten sich selbst kennen. Verliebtheit reifte zur Liebe.

Am Ende hatten Karl und Ruth doch noch die richtigen Einstellungen und Fähigkeiten für eine gute Ehe entwickelt. Die erste Aufgabe, die sie bewältigen mußten, war zu lernen, daß gute Beziehungen entstehen, wenn man es sich zur Aufgabe macht, dem Bild Christi ähnlicher zu werden, anstatt vom anderen zu fordern, daß er einem anderen Menschen ähnlicher wird. Sie mußten auch lernen, sich zu entschuldigen und einander zu vergeben.

Vergeben ist schwer

Es ist sehr schwer, anderen zu vergeben! Es fällt uns besonders schwer, denen zu vergeben, die für uns die liebsten Menschen sind. Es gibt verschiedene Gründe dafür, daß uns dies so schwerfällt:

1. Wir sind von Natur aus selbstsüchtig und stolz. Und wir haben ja auch schon festgestellt, daß Vergebung Selbstlosigkeit und Demut erfordert.

2. In unserer Kultur gilt es als Schwäche, wenn jemand vergibt. Wir verstehen nur selten das Vorbild Christi, der in seinem Knechtsein Stärke bewies. Statt dessen akzeptieren wir Gewalt und Rache als völlig normale und vernünftige Reaktionen auf ein Unrecht, das uns angetan wird.

3. Es scheint von Nutzen zu sein, nicht zu vergeben. Ein unreifes Gefühl der Befriedigung stellt sich ein, wenn wir »unsere Wunden in Selbstmitleid lecken«. Vergeltung vermittelt uns billige Freude. Kurz gesagt, nicht vergeben ist einfacher als zu vergeben. Die Wunde kann auch bewußt dafür gebraucht werden, daß andere Mitleid mit uns empfinden. Diese scheinbaren Vorzüge des Nicht-Vergebens erweisen sich jedoch als trügerisch, und sie halten uns davon ab, die echten Vorzüge des Vergebens zu erleben.

4. Angst ist ein riesiges Hindernis. Wenn der Mensch, dem wir vergeben müssen, uns sehr wichtig ist, haben wir vielleicht Angst, das Gute an unserer Beziehung zu verlieren. Oder wir glauben vielleicht, daß er oder sie uns neu verletzen könnte. Wir haben vielleicht Angst vor dieser unbekannten Erfahrung des Vergebens. Wir haben Angst, etwas Verkehrtes zu tun oder uns vor anderen lächerlich zu machen. Wir haben vielleicht Angst, daß,

wenn wir uns dieses Mal so gereift verhalten, wir in Zukunft immer ein solch reifes Verhalten an den Tag legen müssen. Und uns ist vielleicht das Gefühl der Zufriedenheit dermaßen unbekannt, daß wir Angst davor haben, das uns so vertraute Gefühl der Bitterkeit loszulassen.

5. Vom Vergeben-Wollen kann uns auch abhalten, daß wir unsere eigene Schuld nicht erkennen und verstehen wollen und uns für unsere Fehler nicht entschuldigen wollen. Hier sehen wir wieder unsere Ängste und unseren Stolz.

6. Die gefühlsmäßige Verletzung ist vielleicht so groß, daß es schwerfällt, logisch zu denken und die notwendigen Schritte für die Vergebung zu unternehmen. Gefühle sollten unser Leben jedoch nicht beherrschen, aber manchmal sind sie so intensiv, daß wir unfähig werden, ernsthaft etwas zu planen oder unsere Pläne in die Tat umzusetzen.

Als Karl und Ruth sich nicht entschuldigen und vergeben konnten, war die treibende Kraft in ihrer Ehe das Konkurrenzdenken und nicht die Zusammenarbeit. Dafür mußten sie einen hohen Preis zahlen.

Nicht zu vergeben, kostet immer viel. Mangelnde Vergebungsbereitschaft behindert unsere Beziehung zu Gott und zu unseren Mitmenschen. Deshalb gibt die Bibel ganz klar das Gebot, daß wir uns entschuldigen und vergeben sollen, und dies möglichst sofort.

Wem muß ich vergeben?

Manchmal ist das Unrecht, das uns angetan wurde, so offensichtlich, daß wir es leicht erkennen und eindeutig die Notwendigkeit einsehen können, daß wir dem Schuldigen vergeben müssen. Zu anderen Zeiten ist es vielleicht nicht so einfach zu erkennen, wer uns verletzt hat oder festzustellen, ob wir schon vergeben haben oder nicht.

Es gibt nur einen einzigen, sicheren Weg, diese Dinge zu erkennen: wir müssen Gott darum bitten. Wir könnten etwa so oder ähnlich beten:»Herr, hilf mir, die Dinge zu erkennen, die ich über mich selbst, über die Situation oder über meine Beziehung zu diesem Menschen lernen muß. Gib mir das nötige Verständnis, damit ich Deinen Geboten in dieser Situation gehorsam sein kann.« Dies ist konkret genug, und doch versuchen wir mit einem solchen Gebet nicht, Gott Seine Souveränität streitig zu machen und Ihm vorzuschreiben, wie Er handeln soll. Wenn wir so beten, handeln wir nach dem Motto aus Jakobus 1,5:»Wenn aber jemandem unter euch Weisheit mangelt, der bitte Gott, der da gern gibt jedermann und allen mit Güte begegnet, so wird ihm gegeben werden.«

Gott ist jederzeit bereit, uns das zu zeigen, was wir lernen müssen, um Ihm gehorsamer werden zu können. Aus meiner Erfahrung als Seelsorger kann ich sagen, daß jeder, der ein solches Gebet ein oder zwei Wochen lang ernstlich gebetet hat, einige Dinge verstanden hat, die er lernen mußte, um persönlich zu wachsen und mehr von Gott gesegnet zu werden.

Da kommt mir die Situation einer jungen Frau in den Sinn. Sie hatte intensive Ängste vor Menschen, war sehr gereizt ihrem Mann gegenüber und hatte Depressionen. Ihr Vater war ein sehr schlechtes Familienoberhaupt gewesen, und sie fühlte sich ziemlich entfernt von ihm. Ich forderte sie auf, ihren christlichen Glauben praktisch zu nutzen und jeden Tag zu beten, daß Gott ihr die Dinge offenbare, die sie über ihre Beziehung zu ihrem Vater lernen mußte. Sie sollte dahin kommen, zu erkennen, was sie tun konnte, um ihre Beziehung zu ihrem Vater wiederherzustellen und zu heilen. Fast beiläufig schlug ich vor, daß sie das gleiche Gebet in bezug auf ihre Beziehung zu ihrer Mutter beten sollte.

Sie betete dies zweimal am Tag zwei Wochen lang. Als ich sie am Ende dieser Zeit wiedersah, fragte ich sie, was sie denn über ihre Beziehung zu ihrem Vater gelernt habe. Sie sagte, daß sie nicht sehr viel über ihren Vater nachgedacht und keine neuen Erkenntnisse gewonnen habe. Erstaunt fragte ich sie, was in dieser Zeit sonst noch passiert sei.

»Oh!« rief sie aus. »Etwas sehr Seltsames! In der letzten Woche mußte ich die ganze Zeit an meine Mutter denken, und ich habe sehr vieles erkannt, woran ich früher noch nie gedacht hatte. Ich hatte ja gemeint, daß mein Vater das Problem sei, aber jetzt sehe ich, daß das größere Problem eigentlich meine Beziehung zu meiner Mutter ist – und das liegt nicht an ihr, sondern an mir.«

Sie fuhr fort, einige sehr wichtige Dinge zu beschreiben, die sie über ihre Beziehung zu ihrer Mutter lernen mußte, und auch in bezug auf das, was sie diesbezüglich unternehmen mußte. In der darauffolgenden Woche konnte sie einige Zeit mit ihrer Mutter verbringen. Sie bekannte Gott die Härte ihres Herzens in bezug auf ihre Mutter. Sie tat Buße und vergab ihrer Mutter die Dinge, die sie ihr unbeabsichtigt und unwissend angetan hatte.

Gebet ist der beste Weg zu Wachstum und persönlicher Entfaltung. Gott erhört unsere Gebete und spricht zu uns, wenn wir unsere Einstellungen und Lebenserfahrungen wirklich ernsthaft überprüfen. Die folgenden Fragen können uns helfen, zu erkennen, ob wir jemandem vergeben müssen. Jeder dieser Punkte kann natürlich auch in anderen Zusammenhängen angewandt werden. Wenn wir uns aber diese Einstellungen und dieses Verhalten bei uns bewußtmachen, werden wir entdecken, ob wir vielleicht von jemandem verletzt wurden und es versäumt haben, diesem Menschen sein Unrecht zu vergeben:

Denke ich oft an die Verletzung? (Dieses ständige Erinnern ist eine Brutstätte für Verbitterung.)

Habe ich große Haßgefühle, wenn ich an die Verletzung denke?

Stelle ich mir vor oder wünsche ich mir, daß dem Menschen, der mich verletzt hat, irgend etwas Schlimmes oder ein Unfall zustößt?

Gehe ich dieser Person aus dem Weg oder spreche ich nicht mit ihm oder ihr, auch wenn dies möglich wäre?

Habe ich irgendwelche körperlichen Symptome einer inneren Anspannung oder Nervosität wie Bauchschmerzen, Verdauungsbeschwerden oder Schlaflosigkeit?

Bin ich sehr gereizt? Werde ich leicht über Kleinigkeiten böse?

Greife ich den anderen indirekt an? Dies könnte sich ausdrücken in bösartigem Humor, in dem Verbreiten halbwahrer Geschichten, darin, daß man die Kinder oder andere gegen diese Person ausspielt, die Mitarbeit und Unterstützung diesem Menschen versagt, oder in Hunderten anderer Ausdrucksformen eines passiv-aggressiven Verhaltens.

Greife ich diesen Menschen direkt an durch Beleidigungen, sarkastische Bemerkungen, körperliche Angriffe, dadurch, daß ich den Unterhalt für die Kinder nicht mehr bezahle oder durch eine andere Art des direkten Angriffs?

Bin ich mir selbst gegenüber extrem kritisch? Bin ich mit dem Leben unzufrieden, habe ich sehr hohe Anforderungen an mich? Hasse ich mich selbst oder bin ich ganz unzufrieden mit mir?

Wenn wir auf die 7. und 8. Frage oder auch auf die anderen Fragen mit »Ja« antworten können, ist es unsere Pflicht, uns anders zu verhalten und uns bei dem anderen für unser schlechtes Verhalten zu entschuldigen und ihm oder ihr zu vergeben. Jedesmal, wenn wir einem anderen ein Unrecht vergeben, sollten wir beten, daß Gott auch uns die Dinge bewußtmacht, die wir dem anderen zuleide getan haben. Wir sollten auch um eine demütige und liebe-volle Haltung in unseren Beziehungen zu anderen beten.

Diese beiden »Methoden«, Beten und ein wirklich ernsthaftes Überprüfen unseres Lebens im Gebet, werden uns helfen zu erkennen, ob wir einem anderen Menschen vergeben müssen. Wenn möglich, sollten wir in dieser Zeit mit einem vertrauens-würdigen und mitfühlenden christlichen Freund oder Seelsorger sprechen.

Praktische Schritte

Im folgenden sollen als praktische Hilfe zum Vergebenlernen die einzelnen Teilabschnitte des Vergebensprozesses geschildert werden. Dies ist kein Patentrezept, das in jedem einzelnen Fall und genau in dieser Reihenfolge eingehalten werden muß. Man kann auf viele Arten vergeben. Entscheidend ist immer, daß Gott mit von der Partie ist und daß der ganze Prozeß im Gebet vorbe-reitet und begleitet wird.

Der niedrigste Punkt liegt bei Null. An diesem Punkt sind wir in unserer Verbitterung gefangen und lassen uns von ihr beherr-schen. Wir sind darin gefangen, wie wir die Verletzung empfinden und wie wir darauf reagiert haben.

Nehmen Sie Gottes Vergebung an. Veränderung beginnt dort, wo die Beziehung zu Gott in Ordnung ist. Das fängt da an, wo wir unsere Sünden bekennen und bereuen. Gottes Vergebung emp-fangen und anderen vergeben, sind zwei Dinge, die Hand in Hand gehen müssen. Dies sehen wir auch im Vaterunser (Matthäus 6,12; Lukas 11,4) und in den Worten Jesu: »Denn wenn ihr den Menschen ihre Übertretungen vergebet, so wird euch euer himm-lischer Vater auch vergeben. Wenn ihr aber den Menschen nicht vergebet, so wird euch euer Vater eure Übertretungen auch nicht vergeben« (Matthäus 6,14 – 15).

Das bedeutet natürlich nicht, daß unsere Erlösung davon abhängt, ob wir allen, die uns wehgetan haben, auch vergeben haben. Wir können erst wirklich vergeben, wenn Gott in uns lebt und wir Ihn beim Vergebungsprozeß mitwirken lassen. Aber diese Verse bedeuten ganz eindeutig, daß wir von der völligen Gemein-schaft mit Gott ausgeschlossen sind, wenn wir es versäumen, anderen zu vergeben.

Hören Sie damit auf, den anderen zu verletzen. Vergeben ist das Gegenteil von Rache üben. Wir können nur entweder das eine oder das andere tun. Wenn wir uns dazu entschlossen haben, zu vergeben, müssen wir aufhören, Dinge zu tun, die der Vergebung entgegenwirken.

Entscheiden Sie sich dafür, daß Sie sich entschuldigen und vergeben wollen. Wenn es unmöglich erscheint, zu vergeben, sollten wir uns daran erinnern, daß Gott uns helfen wird und daß Er zufrieden ist, wenn wir da anfangen, wo wir jetzt stehen. Obwohl dies nur ein kleiner Schritt nach vorne ist, ist er wahrscheinlich der schwierigste. Es ist jedoch ein wesentlicher Schritt, denn es geht hier um den bewußten Willensentschluß, Gottes Geboten gehorsam zu sein.

Beginnen Sie damit, sich zu entschuldigen und vergeben zu wollen. Die Tatsache, daß wir zu diesem Punkt vordringen können, liegt zum Teil an unserem bewußten Gehorsam, und zum Teil ist sie auch Gottes Reaktion auf unseren Gehorsam. Gott schenkt uns Seine Liebe, die anfängt, unsere Einstellung zu verändern.

Machen Sie den Schaden, den Sie beim anderen verursacht haben, wieder gut. Das bedeutet, daß wir uns entschuldigen müssen.

Überlegen Sie genau, ob es notwendig ist, dem anderen mitzuteilen, daß Sie ihm vergeben haben.

Vergeben Sie. An diesem Punkt des Vergebungsprozesses müssen wir in einem bewußten Willensakt die Ansprüche loslassen, die wir noch an den anderen stellen könnten.

Nehmen Sie die Vergebung Gottes in Anspruch und machen Sie sich bewußt, daß Sie vergeben haben. Ziehen Sie einen Schlußstrich unter diese Angelegenheit.

Beten Sie um Heilung. Es gibt zwei Arten einer Heilung der Gefühle, für die wir beten können. Wir können zum einen dafür beten, daß die Erinnerung an ein Ereignis uns nicht mehr so weh tut. Und zum anderen können wir beten, daß Gott die Leere füllen möge, die durch das Fehlen einer normalen und lebenswichtigen Beziehung entstanden ist, wie z.B. bei einem Kind, das ohne einen Elternteil oder ohne beide Eltern aufgewachsen ist, oder durch das Fehlen einer engen Beziehung bei einem Kind, das nie die gefühlsmäßige Nähe zu seinen Eltern erlebt hat.

Lassen Sie die Sache wirklich auf sich beruhen. Weigern Sie sich, noch einmal daran zu denken. Es kann hier sehr hilfreich sein, sich zur Disziplin aufzurufen und Gott im Gebet zu danken. Auch der Dienst an anderen Menschen ist ein sehr positiver und wertvoller Weg, unsere Gedanken von vergangenen und gegenwärtigen Schwierigkeiten und Problemen wegzulenken.

Weiterführende Literatur

Bovet, Theodor. Die Ehe. Ein Handbuch für Eheleute. 3. Ausg. 1970

Bräumer, Hansjörg. Lieben wagen. Neuhausen-Stuttgart 1986

Dobson, James. Das solltest du über mich wissen. Ehekonflikte – und wie man sie löst. Aßlar 4. Aufl. 1986

Egelkraut, Helmuth. Homosexualität und Schöpfungsordnung. Vellmar-Kassel 1982

Hauer, Gerhard. Sehnsucht nach Zärtlichkeit. Liebe und Sexualität bei Jugendlichen und Unverheirateten. Kehl 5. Aufl. 1987

Heil, Hans-Joachim. Heil, Ruth. Liebe kennt eine Grenze. Edition Trobisch 1988

Hofmann, Irmela. Lebenslänglich. Neukirchen-Vluyn 7. Aufl. 1987

Illies, Joachim. Schöpfung, Scham und Menschenwürde. Kassel 2. Aufl. 1980

Köhler, Walter. Intim vor der Ehe? Gießen 7. Aufl. 1986

LaHaye, Tim. Kennen Sie Ihren Mann? Bad Liebenzell 4. Aufl. 1987

LaHaye, Tim u. Beverly. Wie schön ist es mir dir. Das Intimleben in der Ehe. Aßlar 9. Aufl. 1987

Landorf, Joyce. Stark und zart. Wie sich eine Frau den Mann wünscht. Marburg 6. Aufl. 1987

Lutzer, Erwin. Die Macht der Leidenschaft. Kehl 1985

Martschinke, Dieter; Eggers, Ulrich (Hrsg.). Lieben lernen. Wuppertal 2. Aufl. 1988

Meves, Christa. Mut zum Erziehen. Freiburg 1987

Meves, Christa. Anima – Verletzte Mädchenseele. Vellmar-Kassel 2. Aufl. 1987

Meves, Christa. Sein wie Gott? Der Mensch zwischen Verwirklichung und Selbstzerstörung. Kassel 1981

Meves, Christa. Plädoyer für das Schamgefühl. Vellmar-Kassel 1985

Meves, Christa. Erziehung zur Reife und Verantwortung. Wegweisung für geschlechtliche Erziehung – gegen Aufklärungsdiktatur. Kassel 5. Aufl. 1980

Meves, Christa. Ehe-Alphabet. Freiburg 9. Aufl. 1976

Meves, Christa. Wer paßt zu mir? Der Lebenspartner – Wahl oder Qual? Vellmar-Kassel 9. Aufl. 1986

Mitchell, Marcia. Als Christ allein in der Ehe. Wenn der Ehepartner nicht glaubt... Neukirchen-Vluyn 2. Aufl. 1987

Naujokat, Gerhard. Intime Konflikte – Herausforderung der Seelsorge. Kassel 1980

Naujokat, Gerhard. Vom Sinn geschlechtlicher Partnerschaft. Vellmar-Kassel 1976

Naujokat, Gerhard. Drum prüfe, wer sich ewig bindet. Erst denken – dann heiraten. Neuhausen-Stuttgart 2. Aufl. 1987

Naujokat, Gerhard. Liebe – Ehe – Elternschaft. Maßstäbe biblischer Ethik. Kassel 4. Aufl. 1980

Naujokat, Gerhard. Ehe ohne Heirat. Partner ohne Bindung? Vellmar-Kassel 1988

Naujokat, Gerhard. Junge Menschen – erste Liebe. Vellmar-Kassel 1987

Neuer, Werner. Mann und Frau in christlicher Sicht. Gießen 3. Aufl. 1985

Petersen, Allan. Wir stecken in einer Krise. Wie man mit Schwierigkeiten in der Familie fertig wird. Marburg 1981

Ruthe, Reinhold. Wir lösen unsere Eheprobleme selbst! 15 Regeln für ein harmonisches Zusammenleben. Neukirchen-Vluyn 2. Aufl. 1987

Scanzoni, Letha. Hauptsache, wir lieben uns! Kehl 2. Aufl. 1987

Scheunemann, V. u. G. Ehe – es zu spät ist. Anregungen zur Gemeinschaft in Ehe und Familie. Neuhausen-Stuttgart 1988

Scherer, Kurt (Hrsg.). Kleine Eheschule. Vellmar-Kassel 2. Aufl. 1986

Shettles, Landrum; Rorvik, David. Die wunderbare Welt des Ungeborenen. Kehl 1987

Smalley, Gary. Entdecke deine Frau. Kehl 4. Aufl. 1987

Smalley, Gary. Entdecke deinen Mann. Kehl 4. Aufl. 1987

Swindoll, Charles. Entfache das alte Feuer. Vom Duell in der Ehe zurück zum Duett. Marburg 2. Aufl. 1986

Trobisch, Ingrid. Mit Freuden Frau sein. Wuppertal 23. Aufl. 1987

Trobisch, Walter u. Ingrid. Mein schönes Gefühl. Kehl 4. Aufl. 1987

Trobisch, Walter. Der mißverstandene Mann. Kehl 5. Aufl. 1987

Trobisch, Walter. Liebe dich selbst. Selbstannahme und Schwermut. Wuppertal 17. Aufl. 1987

Trobisch, Walter. Mit unerfüllten Wünschen leben. Briefwechsel mit Jungen und Mädchen. Kehl 4. Aufl. 1986 van den Aardweg, Gerard J.M. Das Drama des gewöhnlichen Homosexuellen. Neuhausen-Stuttgart 1985

Walters, Richard P. Die Macht der Vergebung. Kehl 1985

Wheat, Ed. Liebe ist Leben. Ein Lehrbuch für Verheiratete und Verlobte. Aßlar 3. Aufl. 1986

Wheat, Ed. u. Gaye. Intended for Pleasure. Sex Technique and Sexual Fulfillment in Christian Marriage. Old Tappan, New Jersey 1977

Über die Herausgeber

Pfarrer Hans-Joachim Heil steht mit seiner Frau Ruth in der internationalen Eheberatungsarbeit »Family Life Mission«, die von Walter und Ingrid Trobisch gegründet wurde.

Anschrift: Hans-Joachim Heil, Family Life Mission e.V., Postfach 1965, 7640 Kehl/Rhein

Pfarrer Gerhard Naujokat ist langjähriger Jugend-, Ehe- und Familienberater und seit 1969 Generalsekretär des Weißen Kreuzes in Deutschland, eines Fachverbandes für Sexualethik und Seelsorge. Das Weiße Kreuz ist Mitglied des Diakonischen Werkes der EKD.

Anschrift: Gerhard Naujokat, Weißes Kreuz e.V., Postfach 3140, 3502 Vellmar-Kassel

Ehe
es zu spät ist

Volkhard
und
Gerlinde
Scheunemann

Pb., 140 Seiten
Bestell-Nr. 71 301

Wie kommt es, daß so viele Beziehungen zerbrechen, die als »die
große Liebe« begannen? Als kritischer Punkt vieler gescheiterter
Partnerschaften diagnostizieren Scheunemanns eine häufig fehlende Gemeinschafts- und Ehefähigkeit.
Sie weisen den Weg zu einer Reifung der Persönlichkeit, die fähig
ist, mit dem Ehepartner einen geistigen, geistlichen, körperlichen
und seelischen Zusammenklang zu erzielen.

Bitte fragen Sie in Ihrer Buchhandlung nach diesem Buch!
Oder schreiben Sie an den Hänssler-Verlag, Postfach 12 20,
7303 Neuhausen-Stuttgart.

Leseprobe aus »Ehe es zu spät ist« von V. u. G. Schennemann

VII. Hilfen zur Entwicklung der Gemeinschaftsfähigkeit

»Der Vater hat den Sohn lieb und zeigt ihm alles.«
Johannes 5,20

Das Höchste und Hilfreichste, was je über den Menschen ausgesagt wurde und ausgesagt werden kann, steht ganz am Anfang der Bibel, in der Schöpfungsgeschichte. Gott offenbart uns da seinen Meisterplan bei der Erschaffung des Menschen: »Lasset uns Menschen machen, ein Bild, das uns gleich sei« (1. Mose 1,26-28). Wir sind kein Zufallsprodukt der Evolution. Gott selbst hat uns geplant und erschaffen nach dem Vor-Bild des dreieinigen Gottes. Es ist kein einfacher Pluralmajestatis, dieses »Lasset uns machen...«; hier leuchtet das Geheimnis der Dreieinigkeit auf.

Und das Tröstlichste, was über den Menschen gesagt wurde, nachdem er in die Irre ging und den ursprünglichen Plan zerstörte: »Gott nahm den Ton von neuem und machte ein neues Gefäß daraus« (Jer 18). Von neuem sind die wunderbaren Hände des allmächtigen Schöpfers am Werk bei der Neuschöpfung in Christus: »Ist jemand in Christus, so ist er eine neue Kreatur, eine neue Schöpfung, das Alte ist vergangen.« Gott verhaftet uns nicht auf die Scherben, die wir angerichtet haben! – »Neues ist im Entstehen!« (2. Kor 5,17). Und das wieder in Zielrichtung auf Gottesebenbildlichkeit: »daß sie gleich sein sollten dem Ebenbild seines Sohnes« (Röm 8,29), in dem »die ganze Fülle der Gottheit leibhaftig wohnt« (Kol 2,9).

Die Trinität aber ist das Vorbild vollkommener Gemeinschaft. Darum lohnt es sich, im Blick auf Gemeinschaftsfähigkeit über das Ebenbild nachzudenken, nachdem wir geschaffen wurden.

In der Trinität finden wir
1. unauflösbare Zugehörigkeit
2. unverwechselbare Individualität
3. Gegenseitige Achtung und liebevolle Zuneigung

4. Kommunikation und Kooperation
5. Hilfe zur Wiederherstellung zerstörter Gemeinschaft.

Unauflösbare Zugehörigkeit

Gott lebt in vollkommener Gemeinschaft. Unser Gott ist kein höchstes Prinzip, nicht der einsame Uralte. Es ist der dreieinige Gott; Vater, Sohn und Geist in ewiger und vollkommener Gemeinschaft. Das grundlegende Element dieser Gemeinschaft ist Dauer. Die Gemeinschaft von Vater, Sohn und Heiligem Geist besteht von Ewigkeit zu Ewigkeit.

Satan ist aus der Gemeinschaft mit Gott ausgebrochen. Deswegen haßt und neidet er jede Form aufbauender und wahrhaftiger Gemeinschaft. Jesus nennt ihn »einen Mörder von Anfang, in dem keine Wahrheit ist« (vgl. Joh 8,44). Er ist der Verkläger der Brüder, der die ganze Welt verführt (vgl. Offb 12,9–10). Sein Geist und seine Werke sind gemeinschaftszerstörend, wie Paulus in Galater 5,19–21 ausführt. Als Folgen einer widergöttlichen Gesinnung zählt er u.a. »Unzucht, Ausschweifung, Feindschaft, Hader, Eifersucht, Zorn, Zank, Zwietracht, Spaltungen, Neid« auf.

Demgegenüber wirkt der Geist Gottes gemeinschaftsfördernd. Er erschließt uns die Erlösung vom gemeinschaftszerstörenden Egoismus im Kreuz Jesu und fügt uns als Glieder in den Leib Christi ein (vgl. 1. Kor 12,13). Der Heilige Geist schafft die Gemeinschaft der Heiligen, wie wir im Glaubensbekenntnis bekennen. Die Früchte des Geistes »Liebe, Freude, Friede, Geduld, Freundlichkeit, Gütigkeit, Glaube, Sanftmut, Keuschheit« in Galater 5,22 sind allesamt gemeinschaftsfördernd.

Auch der Mensch wurde zur Gemeinschaft erschaffen. Darum betont Gott: »Es ist nicht gut, daß der Mensch allein sei; ich will ihm eine Gehilfin schaffen, die um ihn sei« (1. Mose 2,18). Und er stiftet die Ehe als unauflösbare Gemeinschaftsform (1. Mose 2,24). Auch in dieser Beziehung ist Dauer, ist unverbrüchliche Zugehörigkeit ein unerläßliches Element. Gemeinschaft kann ohne Dauer, ohne Treue nicht sein. Sie braucht Verbindlichkeit und Verläßlichkeit. Das aber ist für den Menschen des Sündenfalls eine Überforderung. Darum bietet Gott sich selbst als stabilisierenden Faktor dieser Gemeinschaft an. »Es ist besser zu zweien als allein ... und eine dreifache Schnur reißt nicht leicht entzwei« (Pred 4,9.12): ein versteckter Hinweis auf die Gegenwart Gottes im

Ehebund, der in Sprüche 2,17 auch »der Bund ihres Gottes« genannt wird. In Maleachi 2,16 bezeichnet Gott sich als Zeuge des Bundes zwischen Mann und Frau. Die Gegenwart seines Geistes bewahrt vor Treulosigkeit: »Nicht einer hat das getan (nämlich die Treue gebrochen), in dem noch ein Rest von Geist war« (V. 15); denn »Gott haßt Scheidung« (so V. 16 in einer Lesart, die u.a. in der englischen und indonesischen Übersetzung aufgenommen ist). »Was Gott zusammengefügt hat, soll der Mensch nicht scheiden«, bekräftigt Jesus (Mt 19,6). Scheidung entspricht nicht dem Vor-Bild des Menschen, der unzerstörbaren Gemeinschaft des dreieinigen Gottes. Darum zerstört sie auch das Ebenbild, den Menschen, und zwar nicht nur die beiden unmittelbar Betroffenen.

»Nicht einer hat das getan, in dem noch ein Rest von Geist ist, denn er sucht Nachkommen, die Gott geheiligt sind« (Mal 2,15). Ehescheidung schädigt vor allem die Nachkommen. Sie entwickelt zerstörerische Kräfte, ähnlich wie Kernspaltung. Oft werden dadurch die Kinder bindungsunfähig, gemeinschaftsgestört, geschädigt in diesem Aspekt ihrer Gottesebenbildlichkeit. Solche Schädigung kann sich notvoll auswirken durch Generationen. Wie dankbar werden wir im Blick auf die schwerwiegenden Folgen solcher Zerstörung für Gottes barmherziges Angebot von Erlösung, Neuschöpfung und Wiederherstellung in Jesus Christus. Dafür, daß Gott Vergebung anbietet und auf dem Grund seiner Vergebung Ehepartner einander und Kinder ihren Eltern vergeben können. Dadurch wird der Schaden überwunden, und auch die Kinder können von neuem gemeinschaftsfähig werden. Wir dürfen uns aber durch die Gnade Gottes, die uns angeboten ist, diese notvollen Umwege ersparen. Treue ist möglich, wo Gott im Bunde ist. Treue ist beglückend für die Ehepartner und für die Kinder ist sie die beste Mitgift: Kinder, die ihre Eltern in guten und bösen Tagen zueinanderstehen sehen, werden gemeinschaftsfähig.

Unverwechselbare Individualität

Unverwechselbare Individualität der drei Personen: das ist eine weitere Eigenschaft unseres Vor-Bildes. Es gibt tatsächlich in der Trinität keinen Rollentausch. Der Vater ist von Ewigkeit zu Ewigkeit der Vater, der Planende, Bestimmende. Und der Sohn ist und bleibt Sohn, von Ewigkeit zu Ewigkeit.

Gerhard Naujokat
Drum prüfe, wer sich ewig bindet
Pb., 140 S., Nr. 71.277, DM 14,80

Dieses Buch eines engagierten Eheberaters dient der Vorbereitung auf die Ehe – die vielen zerbrochenen Partnerschaften und Ehen belegen diese Notwendigkeit. Darum zeigt Naujokat anhand wichtiger Kriterien, daß es um Liebe gehen muß, die ernsthaft zu prüfen bereit ist.

Hrsg. Irmhild Bärend
Ist es Liebe?
Tb., 128 S., Nr. 70.504, DM 8,80

Gedanken, Erzählungen, Briefe, Gedichte, Tagebuchauszüge von W. Trobisch, O. Schweitzer, H. Bräumer, M. Siebald, E. Lutzer, H. Bärend, G. Hauer, T. Stafford u.v.a. für junge Leute, die über Alleinsein, Freundschaft, Liebe und Ehe nachdenken.

Ortwin Schweitzer
Liebe hat ihre eigene Sprache
Tb., 96 S., Nr. 55.014, DM 5,80

Offene Antworten auf die Fragen junger Leute in Gestalt nachempfundener Gespräche, z.B. über sexuelle Erfahrungen vor der Ehe. Antworten aus der Sicht des Evangeliums.

Elisabeth Motschmann (Hrsg.)
„Nur" Hausfrau?
Pb., 220 S., Nr. 56.598, DM 22,80
ISBN 3-7751-1078-X

Zeit haben für die Zukunft unserer Kinder –
nach diesem Programm leben die 16 Mütter
von 60 Kindern, die hier berichten. Familie,
Hausfrau und Mutter sind für sie zentrale Bausteine für das „Haus der Zukunft", in dem wir
morgen leben werden. Was diese Frauen denken, wie sie empfinden und handeln, möchte
dazu anregen, eine neue Dimension des
Lebens zu entdecken.

Elisabeth Motschmann (Hrsg.)
Väter heute
Männer entdecken ihre Vaterrolle
Pb., 180 S., Nr. 56.641, DM 19,80
ISBN 3-7751-1208-1

Elf Väter berichten, wie sie inmitten einer
„vaterlosen Gesellschaft" die Herausforderung annehmen und ihre Vaterrolle entdekken. Sie begleiten sie in ihrem Familienalltag
und erfahren, wie sie Partnerschaft und Erziehung praktizieren. Nicht zuletzt schildert
„Väter heute", wie Männer den Dauerkonflikt zwischen Beruf und Familie zu meistern
suchen.

Elisabeth Motschmann
Offen gefragt - offen geantwortet
Pb., ca. 80 S., Nr. 79.701, ca. DM/sfr 9,80
ZEITJOURNAL-Verlag

Alles will ich, nur nicht ins Altersheim;
Unsere Ehe ist in tödlicher Langeweile
erstarrt; Meine Freundin ist lesbisch. Was soll
ich tun? - Das sind nur einige Fragen, mit
denen die bekannte Autorin täglich konfrontiert wird. Ehrliche Fragen, die sich so oder
ähnlich manchem von uns stellen. Elisabeth
Motschmann beantwortet sie mit Offenheit
und Wärme sowie mit sehr viel Einfühlungsvermögen.